Berliner Platz 2 NEU

Deutsch im Alltag
Teil 1
Lehr- und Arbeitsbuch

Christiane Lemcke
Lutz Rohrmann
Theo Scherling

Susan Kaufmann: Im Alltag EXTRA
Margret Rodi: Testtraining

Ernst Klett Sprachen

Stuttgart

Von
Christiane Lemcke, Lutz Rohrmann und Theo Scherling

Im Alltag EXTRA: Susan Kaufmann
Testtraining: unter Mitarbeit von Margret Rodi

Redaktion: Annerose Bergmann, Hedwig Miesslinger, Lutz Rohrmann und Annalisa Scarpa-Diewald
Gestaltungskonzept und Layout: Andrea Pfeifer
Umschlaggestaltung: Svea Stoss, 4S_art direction
Coverfoto: Strandperle Medien Services e. K.; Abbildung Straßenschild: Sodapix AG
Illustrationen: Nikola Lainović
Fotoarbeiten: Vanessa Daly

Für die Audio-CD zum Arbeitsbuchteil:
Tonstudio: White Mountain, München
Musik: Jan Faszbender
Aufnahme, Schnitt und Mischung: Andreas Scherling
Koordination und Regie: Bild & Ton, München

Verlag und Autoren danken Birgitta Fröhlich, Eva Harst, Anne Köker, Margret Rodi, Barbara Sommer und Matthias Vogel, die *Berliner Platz NEU* begutachtet und mit wertvollen Anregungen zur Entwicklung des Lehrwerks beigetragen haben.

Materialien zu *Berliner Platz 2 NEU*, Teil 1:

Lehr- und Arbeitsbuch	606069
1 CD zum Lehrbuchteil	606071
Intensivtrainer 2 (Kapitel 13–24)	606043
Lehrerhandreichungen 2 (Kapitel 13–24)	606046
Testheft 2 (Kapitel 13–24)	606045
DVD 2 (Kapitel 13–24)	606044
Treffpunkt D-A-CH 2	606051
Interaktive Tafelbilder (CD-ROM)	606055
Interaktive Tafelbilder zum Download: www.klett-sprachen.de/tafelbilder	
Glossar Deutsch–Englisch	606047
Glossar Deutsch–Russisch	606049
Glossar Deutsch–Türkisch	606048
Glossar Deutsch–Spanisch	606050

Symbole:

⊙ 1.1 Zu dieser Aufgabe gibt es eine Tonaufnahme auf der CD zum Lehrbuchteil. (separat erhältlich)

⊙ 3.1 Zu dieser Aufgabe gibt es eine Tonaufnahme auf der CD zum Arbeitsbuchteil. (im Buch eingelegt)

Hier gibt es Vorschläge für Projektarbeit.

Hier finden Sie Lösungshilfen unter der Aufgabe.

Diese Aufgabe ist wie eine Aufgabe in der Prüfung *(Start Deutsch 2* oder *DTZ)* aufgebaut.

Audio-Dateien zum Download unter
www.klett-sprachen.de/berliner-platz/medienA2.1 Code: bpn2a@aS

Glossare, Lösungen, Transkripte, Kapitelwortschatz u.v.m. kostenlos unter
www.klett-sprachen.de/berliner-platz/DownloadsA2

Besuchen Sie uns auch im Internet: www.klett-sprachen.de/berliner-platz

1. Auflage 1 7 6 5 | 2018 17

Satz: Franzis print & media GmbH, München
Druck und Bindung: Print Consult GmbH, München

ISBN 978-3-12-606069-1

Liebe Benutzerinnen und Benutzer,

Berliner Platz NEU ist ein Lehrwerk für Erwachsene und Jugendliche ab etwa 16 Jahren. Es ist für alle geeignet, die Deutsch lernen und sich schnell im **Alltag** der deutschsprachigen Länder zurechtfinden wollen. Deshalb konzentriert sich *Berliner Platz NEU* auf Themen, Situationen und sprachliche Handlungen, die im Alltag wichtig sind.

Berliner Platz NEU bietet einen einfachen, motivierenden Einstieg in das Deutschlernen. Wir haben dabei großen Wert auf das Training aller Fertigkeiten gelegt: **Hören** und **Sprechen** ebenso wie **Lesen** und **Schreiben**.

Für eine erfolgreiche Verständigung im Alltag ist eine verständliche **Aussprache** mindestens so wichtig wie Kenntnisse von Wortschatz und Grammatik. Deshalb spielt das Aussprachetraining eine große Rolle.

Berliner Platz NEU orientiert sich am Rahmencurriculum für Integrationskurse Deutsch als Zweitsprache. Der Kurs endet mit der Niveaustufe B1 des Gemeinsamen europäischen Referenzrahmens (GER).

Das Angebot

Ein Lehrwerk ist viel mehr als nur ein Buch. Zu *Berliner Platz NEU* gehören diese Materialien:

- die **Lehr- und Arbeitsbücher**
- die **Hörmaterialien** zum Lehr- und Arbeitsbuch
- die **Intensivtrainer** mit mehr Übungen zu Wortschatz und Grammatik
- die **Testhefte** zur Prüfungsvorbereitung
- die **DVD** mit motivierenden Film-Szenen zu den Themen des Lehrbuchs
- die **Lehrerhandreichungen** mit zusätzlichen Tipps für einen abwechslungsreichen Unterricht
- die Zusatzangebote für Lerner/innen und Lehrer/innen im **Internet** unter: www.klett-sprachen.de/berliner-platz
- **Glossare**

Der Aufbau

Berliner Platz NEU ist einfach und übersichtlich strukturiert, sodass man auch ohne lange Vorbereitung damit arbeiten kann. Jede Niveaustufe (A1, A2, B1) ist in **zwölf Kapitel** aufgeteilt.

Im Lehrbuchteil hat jedes Kapitel zehn Seiten, die man nacheinander durcharbeiten kann.

- **Einführung** in das Kapitel (Seite 1 und 2)
- **Übung** der neuen Situationen und sprachlichen Elemente (Seite 3 bis 6)
- **Deutsch verstehen** dient dem Training von Lese- und Hörverstehen (Seite 7 und 8)
- **Zusammenfassung** der wichtigsten sprachlichen Elemente des Kapitels: *Im Alltag, Grammatik* und *Aussprache* (Seite 9 und 10).
- Auf jeder Stufe gibt es vier **Raststätten** mit
  - spielerischer **Wiederholung**
  - Aufgaben zur **DVD**
  - Aufgaben zur **Selbsteinschätzung**: *Was kann ich schon? / Ich über mich.*

Der Arbeitsbuchteil folgt dem Lehrbuchteil. Zu jeder Aufgabe im Lehrbuchteil (1, 2, 3 ...) gibt es eine Übung im Arbeitsbuchteil (1, 2, 3 ...):

- **Vertiefende Übungen** zum Lehrbuchangebot
- Zusätzliche Übungen zur **Aussprache**
- **Tipps zum Lernen**
- **Testtraining**

In den Abschnitten **Im Alltag EXTRA** finden Sie zu jedem Kapitel ein breites Angebot zusätzlicher Aufgaben zum deutschen Alltag.

Prüfungsvorbereitung

Berliner Platz 2 NEU setzt den Grundkurs fort und führt zu den Prüfungen **Deutsch Test für Zuwanderer** (DTZ) und **Start Deutsch 2**. Als Vorbereitung dazu dienen vor allem die Abschnitte **Testtraining**. Aber auch einige Aufgaben in den Arbeitsbuchkapiteln sind so angelegt, dass sie zugleich die Prüfungsformate trainieren.

Wir wünschen Ihnen weiterhin viel Spaß und Erfolg beim Deutschlernen mit *Berliner Platz NEU.*

Die Autoren und der Verlag

Das lernen Sie in Teil 1 von *Berliner Platz 2 NEU*

13 Das steht dir gut!

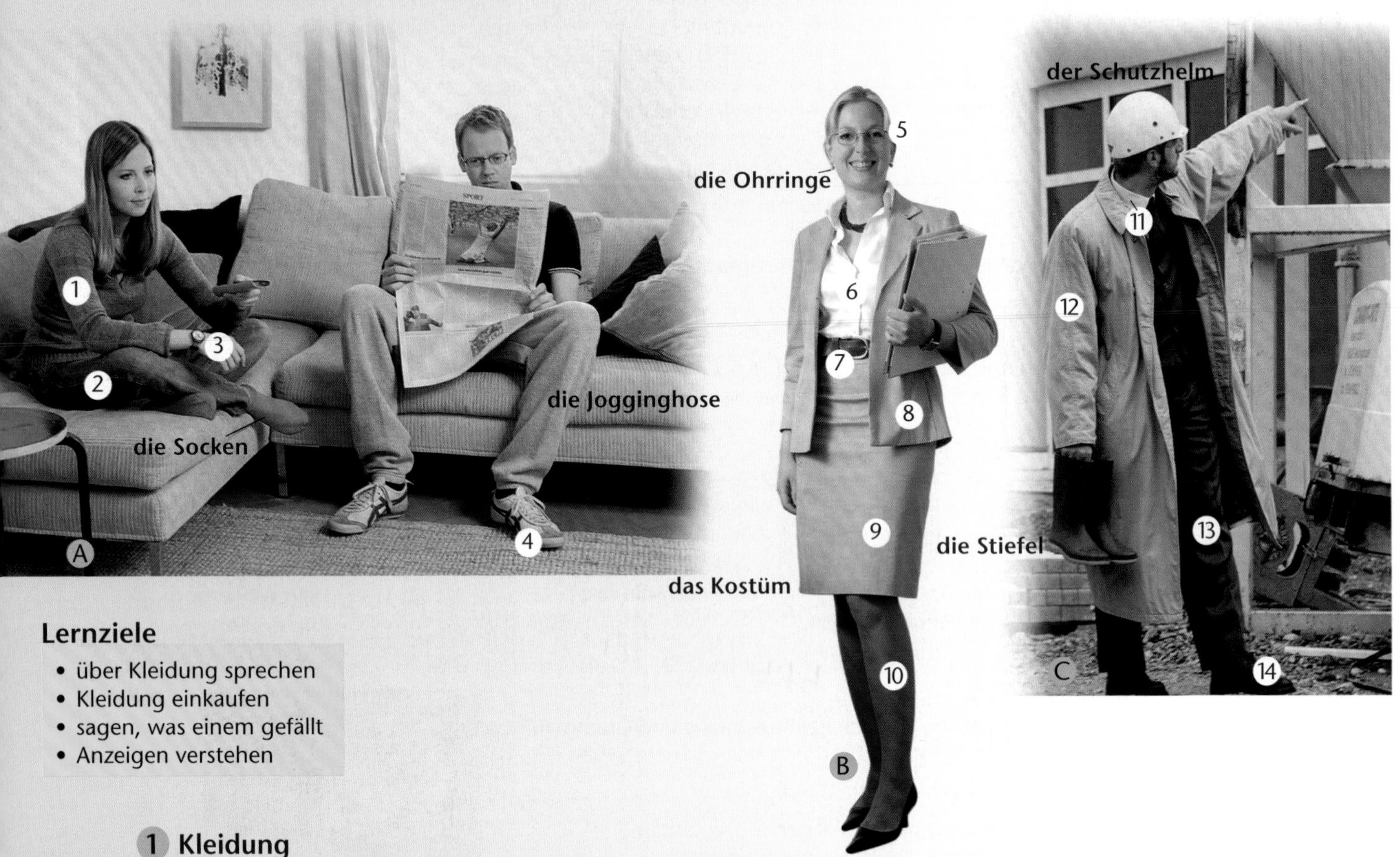

Lernziele

- über Kleidung sprechen
- Kleidung einkaufen
- sagen, was einem gefällt
- Anzeigen verstehen

1 Kleidung

a Sehen Sie die Bilder an. Welche Wörter fallen Ihnen ein? Sammeln Sie an der Tafel.

der Mann die Frau das Hemd die Schuhe

⊙ 1.2 **b Schreiben Sie die Zahlen aus den Bildern zu den Wörtern. Hören Sie zur Kontrolle.**

16 der Anzug, "-e	___ das Kleid, -er	___ der Sportschuh, -e
___ die Bluse, -n	___ die Krawatte, -n	___ die Strumpfhose, -n
___ die Brille, -n	___ der Mantel, "–	___ das T-Shirt, -s
___ der Gürtel, –	___ der Pullover, –	___ die Uhr, -en
___ das Hemd, -en	___ der Rock, "-e	___ die Unterhose, -n
___ die Hose, -n	___ der Schal, -s	___ das Unterhemd, -en
___ die Jacke, -n	___ der Schuh, -e	___ die Winterjacke, -n
___ die Jeans, –	___ der Slip, -s	

⊙ 1.3 **c Hören Sie zu. Zu welchen Bildern passen die Texte?**

2 Was tragen Sie ...? – Was trägst du ...?

a Notieren Sie in drei Minuten je drei Kleidungsstücke zu 1–5.

1. am Wochenende?
2. im Sommer?
3. im Winter?
4. bei der Arbeit?
5. in der Freizeit?

1. einen Rock, eine Bluse, Strümpfe

⊙ 1.4

b Hören Sie die Beispiele und sprechen Sie im Kurs.

100 % immer – oft – meistens – manchmal – selten – nie **0 %**

Trägst du Tragen Sie	oft manchmal nie	Hosen/...? einen Rock / ...? eine Krawatte / ...?	Nein, meistens Röcke oder Kleider. Ja, fast immer. Doch, im Büro, aber in der Freizeit nie.
Was trägst du Was tragen Sie	im Sommer/Winter/...? bei der Arbeit / in der Freizeit /...?		Im Sommer trage ich ... Bei der Arbeit muss ich ...

Bei der Arbeit muss ich immer einen Schutzhelm tragen.

3 Orientierung im Kaufhaus

a Was möchten Sie gerne kaufen? Sammeln Sie Vorschläge im Kurs.

3. Stock
Fernsehen
Computer, Software
Spielzeug

2. Stock
Damenmode
Accessoires, Schmuck

1. Stock
Herrenmode
Kindermode
Freizeit, Sport

Erdgeschoss
Parfüm, Kosmetik
Zeitschriften, Bücher
Büroartikel

Untergeschoss
Lebensmittel

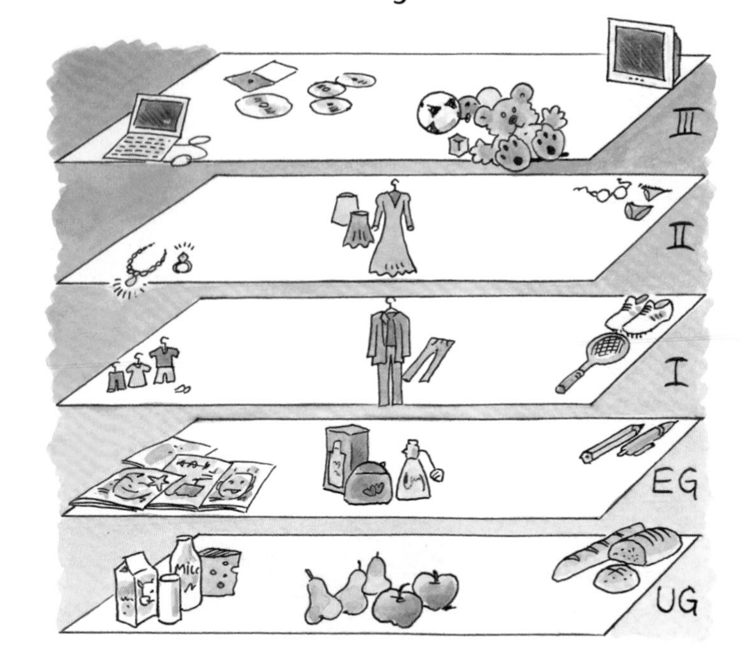

b Fragen und antworten Sie.

Wo ist / finde ich ...?	Vorne/Hinten rechts/links.
Ich suche ...	Hinten bei den ...
Haben Sie ...?	Gleich hier neben der/dem ...
Ist/Sind ...?	Im Erdgeschoss hinten links.
	Im ersten/zweiten/dritten Stock.

Wo finde ich Röcke?

Im zweiten Stock, bei der Damenmode.

Haben Sie Herrenmäntel?

Ja, im ersten Stock.

4 Kleidung kaufen

⊙ 1.5-7 **a Hören Sie. Was passt zu welchem Dialog? Notieren Sie A, B oder C.**

1. ☐ Ein Mann möchte etwas für die Arbeit.
2. ☐ Ein Ehepaar kauft ein.
3. ☐ Mutter und Sohn gehen einkaufen.
4. ☐ Jemand sucht etwas für den Winter.
5. ☐ Eine Frau möchte eine Bluse kaufen.

b Hören Sie nun die drei Dialoge einzeln. Ordnen Sie die Wörter zu.

anprobieren • die Jacke • der Anzug • der Spiegel • der Winter • die Bluse • die Umkleidekabine • eine Nummer größer • fürs Büro • Größe 52 • warm • zu teuer

Frau	Mutter/Sohn	Mann/Frau
anprobieren		

c Lesen Sie die Dialoge laut.

Dialog B
- ● Entschuldigung, können Sie mir helfen?↗
- ○ Ja, natürlich.↘ Was kann ich für Sie tun?↗
- ● Mein Sohn braucht eine Jacke.↘
- ○ Für den Winter?↗
- ● Ja, schon warm, aber nicht zu warm.↘
- ○ Welche Größe?↗
- ● Das weiß ich nicht.↘
- ○ Wie groß bist du denn?↗
- ▲ Einen Meter 43.↘
- ○ Das ist Kindergröße 140 oder 152. Schauen Sie mal dahinten.↘

Dialog C
- ● Guten Tag, kann ich Ihnen helfen?↗
- ○ Guten Tag, ich suche einen Anzug.↘
- ● Etwas Festliches oder fürs Büro?↘
- ○ Eher fürs Büro.↘ Ich bin Buchhalter, wissen Sie, und …→
- ● Welche Größe? ↗
- ○ Oh, das weiß ich leider nicht.↘
- ▲ Du brauchst Größe 52 oder 54, denke ich.↘
- ● Dann können wir erst mal hier vorne schauen.↘

5 Wie gefällt Ihnen der Anzug?

⊙ 1.8 **a Hören Sie und ergänzen Sie die Personalpronomen.**

Personalpronomen: Dativ

ich	mir
du	dir
er/es	ihm
sie	ihr
wir	uns
ihr	euch
sie/Sie	ihnen/Ihnen

- ● Wie gefällt ______________ der Anzug?
- ○ Er gefällt ______________ schon, aber er passt ______________ nicht. Er ist etwas zu eng.
- ▲ Er steht ______________ aber gut, Georg.
- ● Das finde ich auch. Er steht ______________ sehr gut.
- ▲ Du siehst sehr gut mit ______________ aus.
- ● Der ist ______________ bestimmt nicht zu eng. Das sehe ich.
- ○ Hm, ich weiß nicht …

b Spielen Sie Dialoge.

Wie gefällt dir/euch …? Passt die Bluse / das Hemd …? Wie steht mir der Pullover / das T-Shirt …? Steht mir das?	Der gefällt mir gut / nicht so gut / gar nicht. Sehr gut. Vielleicht ein bisschen zu eng/weit. Ich finde, der/das/die steht dir super / ganz gut / nicht. Ja, sehr gut. / Nein, nicht wirklich. / Überhaupt nicht!

6 Die Anprobe

a Sehen Sie die Bilder an. Beschreiben Sie die Situation: wer, wo, wann, was?

⊙ 1.9 **b Hören Sie. Was möchte Linda kaufen?**

○ Suchst du etwas Bestimmtes, Linda?↗
● Ja, ich brauche einen Rock.↘
○ Kurz oder lang?↘
● Etwas länger als der Jeansrock hier.↘
○ Dann probier doch mal den hier.↘
Der sieht klasse aus.↘
● Der ist doch zu eng, Sabine.↘
Gibt es den nicht etwas weiter?↗
○ In Größe 38 gibt es nur den.↘
● Gut, ich probier ihn mal an.↘
○ Der steht dir super.↘

● Aber er ist mir zu eng.↘
Ich schau mal bei den Hosen.↘
○ Ich denke, du suchst einen Rock.↘
● Ja, aber ich finde doch nichts.↘
Da hinter den Jacken gibt es Sommerhosen.↘
○ Was für eine Farbe suchst du?↗
● Vielleicht etwas in Gelb oder in Grün.↘
○ Hier ist eine in Blau, die sieht supergut aus.↘
● O. k., ich probiere sie mal an.↘
Die passt mir.↘ Was kostet sie?↗
○ Die steht dir aber klasse und sie kostet nicht mehr als die anderen.↘ Nur 89 Euro.↘

● 89 Euro!↘ Das ist mir viel zu teuer.↘
○ Der Rock war billiger als die Hose.↘
● Aber zu eng.↘ Ich schau mal bei den Kleidern.↘
Am liebsten hätte ich etwas in Blau.↘
○ Das ist nicht dein Ernst, oder?↗
● Wieso, hast du einen Termin?↗
...

c Lesen Sie die Szene laut und spielen Sie sie. Ändern Sie die Situation: andere Kleidungsstücke, Mutter und Sohn, Vater und Tochter ...

d Ergänzen Sie 1–4 mit *der, das, die* ... Lesen Sie die Dialoge laut.

1. ○ __Die__ Hose ist aber teuer.
   ● ______ hier kostet nicht so viel.
2. ○ ______ Hemd ist mir zu eng.
   ● Probier doch mal ______ hier.
3. ○ Probier doch mal ______ Pullover.
   ● Nein, ______ finde ich schrecklich.
4. ○ ______ Anzug kostet 200 Euro.
   ● Aber ______ hier kostet nur die Hälfte.

7 Aussprache: Satzakzente

⊙ 1.10

a Hören Sie und sprechen Sie nach.

Dialog A

○ Die **Ho**se gefällt mir gar nicht.↘

● Dann probier doch mal **die** hier.↘

○ Ja, **die** ist super, **die** nehme ich.↘

Dialog B

▲ Probier doch mal den **Rock** an.↘

△ Der ist zu **eng**. Gibt es den nicht etwas **wei**ter?↗

▲ **Doch**, aber nicht in **Blau**, sondern nur in **Schwarz**.↘

b Variieren Sie zu zweit die Dialoge. Experimentieren Sie mit Ihrer Stimme, Gestik und Mimik. Sprechen Sie leise, laut, ärgerlich, begeistert ...

Variationen: das Kleid, der Pullover, die Schuhe – groß/klein, kurz/lang, teuer/billig

8 Vergleichen

a *Größer/kleiner ...* – Markieren Sie die Komparativ-Formen in Aufgabe 6. Ergänzen Sie 1–4.

1. ○ Die Bluse ist zu groß. ● Nimm die hier, die ist k*leiner*.
2. ○ Die Hose ist zu eng. ● Nimm die hier, die ist w________.
3. ○ Die Jacke ist zu kurz. ● Nimm die hier, die ist l________.
4. ○ Der Pullover ist zu teuer. ● Nimm den hier, der ist b________.

Komparativ

weit	weiter
groß	größer
kurz	kürzer
lang	länger

b *Genauso schön wie / schöner als ...* – Lesen Sie und schreiben Sie die Sätze 1–6.

Das Hemd ist **genauso schön wie** die Hose.
Ich trage Röcke **genauso gern wie** Hosen.
Das Hemd kostet **genauso viel wie** die Hose.
... gefällt mir **genauso gut wie** ...

Das Hemd ist **schöner als** die Hose.
Ich trage **lieber** Jeans **als** Röcke.
Das Hemd kostet **mehr als** die Hose.
... gefällt mir **besser als** ...

1. Hemd (25 €) / Pullover (25 €), teuer / sein
2. Schuhe (80 €) / Stiefel (120 €), billig / sein
3. Hemd / Krawatte, schön / sein
4. Hose (50 €) / Rock (40 €), viel / kosten
5. Bikini (30 €) / Badeanzug (30 €), viel / kosten
6. Peter, Jeans / Anzug, gern tragen

c Über Kleidung sprechen – Was tragen Sie? Was gefällt Ihnen? Vergleichen Sie.

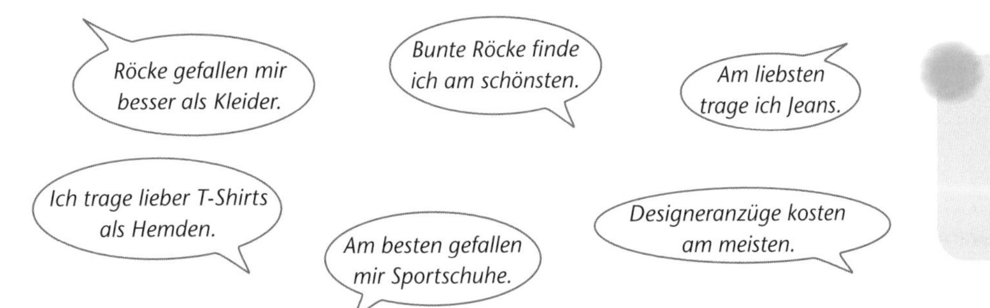

Röcke gefallen mir besser als Kleider.
Bunte Röcke finde ich am schönsten.
Am liebsten trage ich Jeans.
Ich trage lieber T-Shirts als Hemden.
Am besten gefallen mir Sportschuhe.
Designeranzüge kosten am meisten.

Superlativ

schön	am schönsten
gut	am besten
gern	am liebsten
viel	am meisten

d Was sind Sie für ein Einkaufstyp: Kaufhaus/Geschäft, Kleider/Elektronik, allein / zu zweit ...?

Projekt

Wo kann man günstig Kleidung kaufen?

Sommerschlussverkauf • Fabrikverkauf • Secondhand-Läden • Flohmärkte ...

www

Suchwörter: günstige Kleidung, Sonderangebot Kleidung, Schnäppchenführer

9 Kleidung billig kaufen

Lesen Sie 1–5 und dann die Anzeigen. In welchen Anzeigen finden Sie etwas?

1. Frau Haas bekommt ein Baby und braucht Kindersachen: ein Bett usw. ______
2. Herr Bloom möchte einen Anzug verkaufen. ______
3. Boris (10 J.) und Anja (8 J.) brauchen Winterkleidung. ______
4. Sylvia schenkt ihrem Freund eine Lederjacke. Wo hat sie angerufen? ______
5. Kathrin (34 J.) heiratet in zwei Monaten. ______

„Secondhand" – Billig einkaufen aus zweiter Hand

Ⓐ

Wo macht das Einkaufen am meisten Spaß?
Wo ist die Auswahl am größten?

Kirstins Kleiderkiste

An- und Verkauf

Sommer-Sonderangebote bis zu 70 % reduziert.
Am besten kommen Sie heute noch vorbei!
Wir kaufen auch gebrauchte Kleidung.

Erfurter Str. 74, 10532 Berlin, Tel. 9238824
Mo–Fr 11–18 Uhr, Sa 10–13 Uhr

Ⓑ

Pumuckl
Kinder-Secondhand

Diese Woche:

Hosen ab 3 Euro! • Anoraks ab 7 Euro!
Mützen, Handschuhe, Schals schon ab 1 Euro!
Breite Straße 12

Öffnungszeiten:
Mo–Fr 14–20 Uhr, Sa 13-19 Uhr

Ⓒ Jungenbekleidung Gr. 128–160, supergünstig ab 2 Euro, Tel. 363601

Ⓓ Komplette Küche (mit Markengeräten), Schnäppchenpreis, Tel. 883446, ab Sa

Ⓔ Kinderwagen, Buggy, Kinderbett, Hochstr. 92, Fr ab 16 Uhr, p.seilheimer@zdaf.de

Ⓕ Viele Möbel für wenig Geld! Wohnungsauflösung! Berliner Str. 42, 4. Stock, Sa 10–14 Uhr

Ⓖ Babysachen, fast geschenkt! Tel. 501432 ab 18 Uhr

Ⓗ Schlafzimmer mit Kleiderschrank (Breite 3 m), Doppelbett, 2 Kommoden, zus. nur 250,– € Tel. 36045, abends

Ⓘ Preiswerte Herrenkleidung: 2 Anzüge, Sakkos, Hosen, Lederjacke (fast neu!), Tel. 249085, Noweck

Ⓙ Brautkleid, Größe 42, 1x getragen, günstig zu verkaufen! s.lemcke@glx.de

10 Kirstins Kleiderkiste

⊙ 1.11 **a Sehen Sie sich die Bilder an. Hören und lesen Sie dann den Dialog. Was möchte die Kundin? Was ist das Problem?**

der Knopf

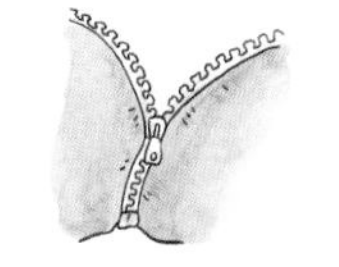
der Reißverschluss

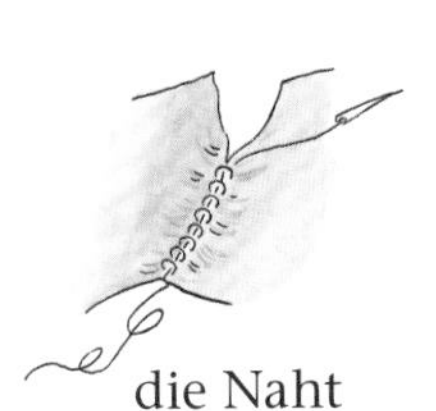
die Naht

frisch gereinigt

der Fleck

○ Guten Tag.
● Guten Tag. Ich habe das Schild gesehen. Kaufen Sie auch Kleidung?
○ Natürlich! Am liebsten Markenkleidung. Was möchten Sie denn verkaufen?
● Ich habe diesen Mantel und drei Kleider.
○ Ah, schön. Größe 40. Darf ich mal?
● Was suchen Sie?
○ Ich muss die Stücke kontrollieren: die Nähte, die Knöpfe und den Reißverschluss. Die Sachen müssen in Ordnung sein. Sind die Kleider gereinigt?
● Ja, natürlich!
○ Hm, das gelbe Kleid hat leider Flecken.
● Ja, ich weiß, aber es ist frisch gereinigt und es ist am …
○ Wissen Sie, ein Kleid mit Flecken kauft leider niemand. Am besten gefällt mir der Mantel. Und das schwarze Kleid ist eleganter als das rote. Ich kann den Mantel und das schwarze Kleid nehmen.
● Gut, und wie viel bekomme ich dafür?
○ Also, den Mantel kann ich am besten verkaufen, für 60 Euro und das Kleid für 40. Das sind für Sie dann 50 Euro.
● Wieso nur 50 Euro? Der Mantel hat vor zwei Jahren fast 300 Euro gekostet.
○ Das ist überall so, der Laden bekommt 50 Prozent. Die Kleidung muss gereinigt und in gutem Zustand sein. Nach dem Verkauf bekommen Sie Ihr Geld. Ich rufe Sie dann an.
● Ach, so ist das.
○ Möchten Sie die Sachen hierlassen?

b Kreuzen Sie an: richtig oder falsch?

	R	F
1. Der Secondhand-Laden kauft und verkauft Kleidung.	☐	☐
2. Die Kundin hat vier Kleider dabei.	☐	☐
3. Die Kleidung ist nicht ganz sauber? Kein Problem!	☐	☐
4. Der Secondhand-Laden nimmt den Mantel und ein Kleid.	☐	☐
5. Die Kundin bekommt 50 Euro.	☐	☐
6. Sie bekommt das Geld sofort.	☐	☐

c Welche grünen Wörter im Text passen in die Sätze 1–4?

1. So ein Mist, an meinem Hemd fehlen zwei ______________! So kann ich es nicht anziehen.
2. Der Laden bekommt die Hälfte und Sie die anderen ______________ vom Verkaufspreis.
3. Meine Bluse hat ______________. Dabei ist sie erst ______________ .
4. Deine Hose ist nicht ______________. Sie hat Flecken.

Im Alltag

1 Orientierung im Kaufhaus

Entschuldigung, ich suche die Herrenabteilung.
Wo finde ich Kinderkleidung?
Haben Sie auch Büroartikel?
Sind die Herrenanzüge auch im dritten Stock?

3. OG	dritter Stock / drittes Obergeschoss
2. OG	zweiter Stock / zweites Obergeschoss
1. OG	erster Stock / erstes Obergeschoss
EG	Erdgeschoss / Parterre
UG	Untergeschoss

2 Kleidung einkaufen

Ich suche einen Rock / ein Kleid / eine Hose ...
Wo kann ich den Rock / die Hose / das Hemd anprobieren?
Wo sind die Umkleidekabinen?
Ich suche einen Spiegel.

Die Bluse ist mir zu groß/klein.
Haben Sie die eine Nummer größer/kleiner?

Ist diese Hose im Sonderangebot?
Haben Sie zurzeit Büroartikel im Sonderangebot?
Kann ich den Anzug umtauschen?

Steht mir das? Wie steht mir das?	Das steht dir/Ihnen ... ☺☺ sehr gut. ☺ gut. 😐 ganz gut. / nicht schlecht. ☹ nicht so gut. ☹☹ überhaupt nicht.

Rot steht dir (nicht).

Passt dir der Rock?	Er ist mir etwas zu eng/weit/lang/kurz. Ja, ich glaube, der passt mir.

3 Vergleiche

Kaufhäuser sind oft **billiger als** kleine Geschäfte.
Aber kleine Läden sind **interessanter als** Kaufhäuser.

Der Mantel gefällt mir **besser als** die Jacke.
Jeans trage ich **lieber als** Röcke.

Die Hose ist **genauso billig wie** der Rock.
Hemden trage ich **genauso gern wie** T-Shirts.

Im Alltag EXTRA
▶ S. 124

Grammatik

1 Adjektive: Komparativ und Superlativ

Regelmäßige Formen

		ä	ö	ü	⚠
	eng	lang	groß	kurz	teuer
Komparativ	enger	länger	größer	kürzer	teurer
Superlativ	am engsten	am längsten	am größten	am kürzesten	am teuersten

TIPP Einsilbige Adjektive haben im Komparativ oft einen Umlaut: *a → ä, o → ö, u → ü*

Unregelmäßige Formen

	gut	gern	viel
Komparativ	besser	lieber	mehr
Superlativ	am besten	am liebsten	am meisten

2 Verben mit Dativ

Nach einigen Verben, z. B.: *stehen* (Kleidung), *passen, gefallen, danken* steht immer der Dativ.

Das Kleid steht **mir**, aber es passt **mir** nicht.
Der Anzug gefällt **ihm**.
Ich danke **dir** – **Ihnen** – **euch** – **dem** Team – **den** Kollegen.

3 Personalpronomen: Nominativ, Akkusativ, Dativ (Zusammenfassung)

Nominativ	Akkusativ	Dativ	Nominativ	Akkusativ	Dativ
ich	mich	mir	sie	sie	ihr
du	dich	dir	wir	uns	uns
er	ihn	ihm	ihr	euch	euch
es	es	ihm	sie/Sie	sie/Sie	ihnen/Ihnen

4 Artikel als Demonstrativpronomen

Der Rock ist super.	**Der** gefällt mir auch.	Nominativ
	Aber **den** finde ich viel zu teuer.	Akkusativ
	Ja, mit **dem** siehst du toll aus.	Dativ
Das Hemd ist zu lang.	**Das** hier ist eine Nummer kleiner.	Nominativ
	Probier **das** mal an.	Akkusativ
	Bei **dem** gefällt mir aber die Farbe so gut.	Dativ
Die Bluse ist gut.	Ja, **die** ist echt super.	Nominativ
	Ja, aber **die** finde ich zu teuer.	Akkusativ
	Mit **der** siehst du auch fünf Jahre jünger aus.	Dativ

Aussprache

Satzakzente

Sie betonen im Satz immer die wichtigste Information.

wichtigste Information:	Ich kaufe meine Strümpfe immer im **Su**permarkt.↘	(nicht im Kaufhaus)
Hinweisend:	**Die** Hose ist super!↘ **Die** nehme ich!↘	
Gegensatz:	Der Rock ist zu **klein**.↘ Gibt es den nicht **grö**ßer?↗	

14 Feste, Freunde, Familie

2

1

3

4

5

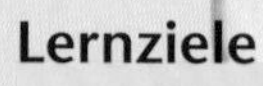

Lernziele

- über Feste sprechen
- jemanden einladen
- auf Einladungen reagieren
- über Geschenke sprechen
- über Familie und Freunde sprechen
- eine Grafik verstehen

1 Erinnerungen an Feste

a Was meinen Sie? Welche Feste zeigen die Bilder?

Ich glaube, Bild 1 ist …

Bild 2 zeigt vielleicht …

b Lesen Sie A–D. Ordnen Sie Bilder und Listen zu.

Bilder	1	7	2		3		4	
Wortliste								

A
Wir bemalen Eier.
Die Kinder suchen Ostereier.
der Schokoladenhase
das Osternest
viele Süßigkeiten
der Ostersonntag/Ostermontag
Frohe Ostern!

B
die Neujahrsparty
Wir feiern mit Freunden.
das Feuerwerk
der Sekt
Glücksbringer
das Schwein
der Schornsteinfeger
Silvester/Neujahr
Frohes neues Jahr!
Prost Neujahr!

C
Die Lichter leuchten.
Weihnachtsbaum schmücken
mit der Familie feiern
in die Kirche gehen
Geschenke kaufen
etwas schenken
die Überraschung
etwas Schönes anziehen
gut essen
Heiligabend
Frohe Weihnachten!

D
das Brautkleid
das Standesamt / die Kirche
die Trauung
Die Kinder streuen Blumen.
Reis werfen bringt Glück.
viele Geschenke
etwas Besonderes essen
ein Fest mit Verwandten und Freunden
heiraten / die Hochzeit
die Flitterwochen / die Hochzeitsreise
Viel Glück für euch beide!
Alles Gute für eure Zukunft!

1.12–14 **c Hören Sie zu. Wie heißen die Feste?**

d Hören Sie noch einmal. Was hören Sie in den Aussagen? Markieren Sie.

1. Wunsch • Geschenke • Schokolade • schöne Kleidung • suchen • Lieder
2. Salate • Feuerwerk • Musik • Party • Sekt • feiern • einladen • kochen
3. essen • tanzen • Braut • Geschenke • Hochzeit • Standesamt • Reise

2 Feste bei Ihnen

a Sammeln Sie Fragen im Kurs.

Was ist bei euch das wichtigste Fest?
Feiert man bei euch den Muttertag/Valentinstag / Tag des Lehrers ...?

Welche Feste ...? Mit wem ...? Wie viele Personen ...? Wie lange ...?
Wer ...? Wo ...? Was ...? Wann ...?

essen • trinken • Kleidung • Jahreszeit • Aktivitäten • Musik • tanzen • Familie • Freunde ...

b Machen Sie Interviews im Kurs und berichten Sie.

3 Wir heiraten.

a Wer, was, wann, wo? Lesen Sie die Einladung und markieren Sie die passenden Stellen.

Wir sagen ja!

Unsere Hochzeit feiern wir am
5. Mai
mit unseren Familien und Freunden.
Kirchliche Trauung:
11 Uhr in der Waldkirche
Danach essen und tanzen wir
im Restaurant Bergfried.
Zu unserem Fest laden wir euch herzlich ein.
Ihr kommt doch?

Bitte sagt bis zum 31. März Bescheid.

Alexandra und Stefan
Standesamt: 4. Mai, 10 Uhr

b Schreiben Sie eine Antwort. Schreiben Sie über alle vier Punkte.

- Gratulieren Sie. Sie freuen sich.
- Bedanken Sie sich für die Einladung und nehmen Sie die Einladung an.
- Fragen Sie nach einer Übernachtungsmöglichkeit.
- Fragen Sie nach Wünschen für Geschenke.

Liebe Alexandra, lieber ...
vielen Dank für ... kommen gern ... wo ... übernachten? ... euch schenken?

⊙ 1.15–18 **c Stefans Anrufbeantworter – Sie hören vier Mitteilungen. Kreuzen Sie die richtigen Informationen an.**

1. Beate ...
   - [a] kommt.
   - [b] kommt nicht.
   - [c] hat ein Geschenk.
   - [d] fragt nach der Geschenkliste.

2. Tina ...
   - [a] kommt.
   - [b] kommt nicht.
   - [c] hat ein Geschenk.
   - [d] sagt nichts über Geschenke.

3. Lukas und Anne ...
   - [a] kommen.
   - [b] kommen nicht.
   - [c] bringen ihre Tochter mit.
   - [d] bringen ihren Sohn mit.

4. Barbara und Heiko ...
   - [a] kommen.
   - [b] kommen nicht.
   - [c] Heiko muss um Mitternacht weg.
   - [d] Heiko kommt erst zum Mittagessen.

d Hochzeiten in Ihrem Land – Sprechen Sie im Kurs.

Wer kommt? Wie viele Leute kommen? Was schenkt man? ...

4 Ich schenke dir eine Rose.

a Sehen Sie die Bilder an. Welche Wörter passen dazu? Arbeiten Sie mit dem Wörterbuch.

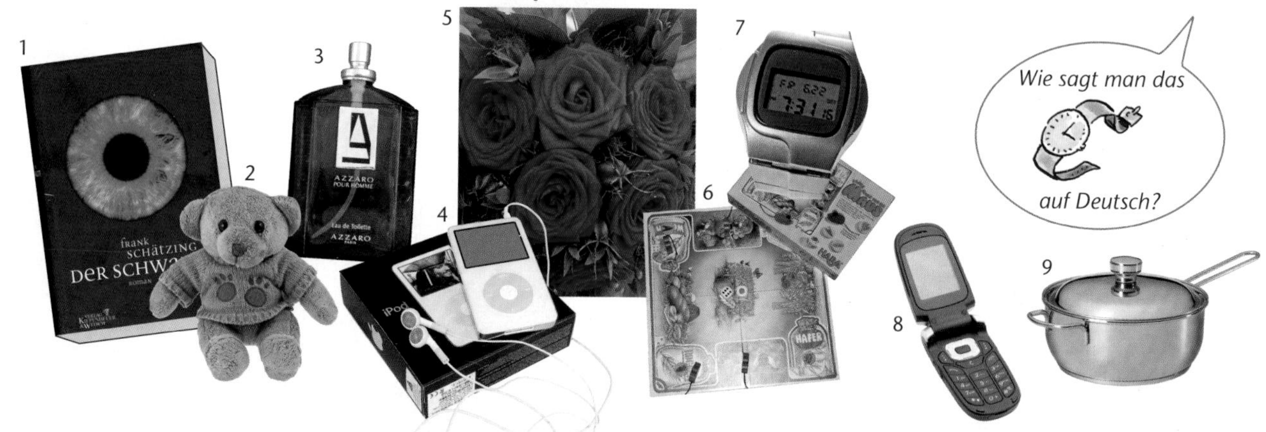

10
GUTSCHEIN
Ich will dir
in den nächsten Wochen
3 Mal ein super Essen kochen

11
Liebe Mama,
das ist ein Gutschein für 5 Mal
Spülmaschine ausräumen.
Dein Marco

12
Parfümerie Sensual
Geschenkgutschein
50 Euro

die Rose • das Goldarmband • die Bluse • das Hemd • die Pralinen • das Geld • die DVD • das Buch • die Digitalkamera • der Kochtopf • das Handy • das Computerspiel • die Blumen • die Lampe • die Armbanduhr • das Parfüm • die Halskette • der Kuchen • der Computer • die Schokolade • der Gutschein • der Ring • der MP3-Player • die Flasche Wein • Rasen mähen • Fenster putzen • ...

b Lesen Sie die Beispiele und schreiben Sie die Sätze 1–5.

schenken

Wer?		Wem? Person: Dativ	Was? Sache: Akkusativ
Wir	schenken	ihnen	einen Gutschein.
Ich	schenke	meiner Schwester	eine Sonnenbrille.

meine**m** Bruder
meine**m** Kind
meine**r** Schwester
meine**n** Eltern

1. uns / eine Waschmaschine / schenken / Meine Eltern /.
2. eine Kaffeemaschine / schenke / Stefan und Alexandra / Ich /.
3. seine Espressomaschine / Ralf / gegeben / hat / uns /.
4. Er / seiner Schwester / schreibt / einen Brief /.
5. kaufen / einen Computer / Wir / unseren Großeltern /.

c Wem schenken Sie wann was? Sprechen Sie im Kurs.

Was schenkst du deinem/deiner ... zum Geburtstag/Valentinstag/ Muttertag / zu Weihnachten / zu Ostern / zur Hochzeit?

Schenkt man bei euch ...?

Ich schenke meiner Mutter Blumen zum Muttertag.
Ich habe meinem Bruder einen Kochtopf geschenkt.
Klaus schenke ich Geld.
Meiner Freundin schenke ich ...

Bei uns schenkt man oft Geld zur Hochzeit – und bei euch?

Ein Kochtopf? Das ist doch kein Geschenk!

Was schenke ich nur meinem Vater?

Das finde ich nicht. Ich koche gern.

Ich empfehle dir einen Gutschein fürs Kino oder fürs Theater.

5 Familie und Freunde

a Sammeln Sie Fragen im Kurs.

Mit wem ...?	allein sein/leben
Wann ...?	Cousins und Cousinen
Wer ...?	Freund/in
Wem ...?	deine Eltern
Wen ...?	Familienfeste
Wie alt ist/sind ...?	Geschwister
Wie lange ...?	kennen
Wie oft ...?	kennenlernen
Wie viele ...?	Kinder
Wie viele Gäste ...?	leben
Wo ...?	Freunde/Verwandte treffen
Ist/Sind ...?	über Probleme sprechen
Bist ...?	verheiratet sein
Hast ...?	wichtig sein
...?	wohnen
	zur Familie gehören

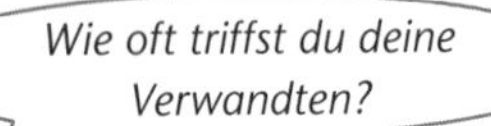
Wie oft triffst du deine Verwandten?

Mit wem kannst du über Probleme sprechen?

b Interviews – Wählen Sie 4–6 Fragen aus und fragen Sie im Kurs.

Wer gehört zu deiner/Ihrer Familie?

Lebst du allein?

Darüber möchte ich nicht sprechen.

Meine Familie, das sind ungefähr 30 bis 40 Personen.

Das fragt man bei uns nicht.

6 Aussprache: Satzmelodie und Satzakzent 1

⊙ 1.19 **Hören Sie und sprechen Sie nach.**

1. Zu meiner Familie gehören meine Eltern, → mein Bruder, → meine Großmutter, → meine Cousinen und unser **Hund**! ↘
2. Zu meiner Familie gehören meine Frau und unsere Kinder, → zwei Großmütter, → ein Großvater, → sieben Geschwister, → fünf Tanten und drei **On**kel. ↘

7 Die Zeiten ändern sich.

Lesen Sie. Was war bei Ihrer Urgroßmutter, Großmutter oder Mutter auch so? Was war anders?

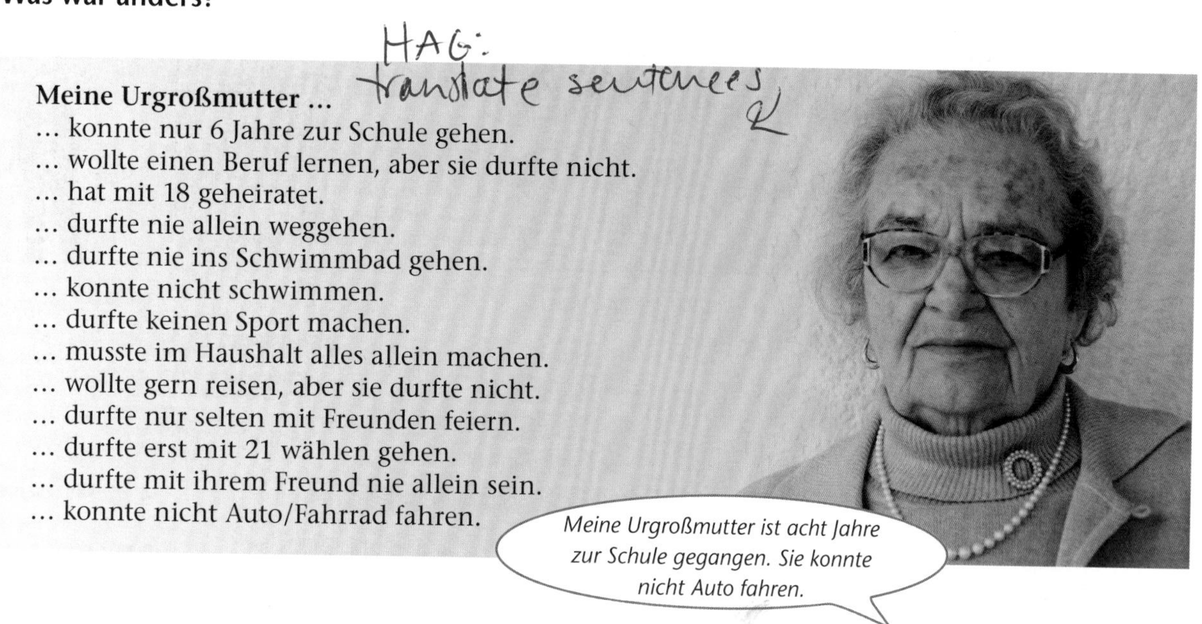

Meine Urgroßmutter ...
... konnte nur 6 Jahre zur Schule gehen.
... wollte einen Beruf lernen, aber sie durfte nicht.
... hat mit 18 geheiratet.
... durfte nie allein weggehen.
... durfte nie ins Schwimmbad gehen.
... konnte nicht schwimmen.
... durfte keinen Sport machen.
... musste im Haushalt alles allein machen.
... wollte gern reisen, aber sie durfte nicht.
... durfte nur selten mit Freunden feiern.
... durfte erst mit 21 wählen gehen.
... durfte mit ihrem Freund nie allein sein.
... konnte nicht Auto/Fahrrad fahren.

Meine Urgroßmutter ist acht Jahre zur Schule gegangen. Sie konnte nicht Auto fahren.

8 Früher und heute

a Modalverben im Präteritum – Die Endungen sind wie bei *haben* im Präteritum. Machen Sie eine Tabelle.

	können	müssen	dürfen	wollen
ich	konnte	musste	durfte	wollte
du	konntest	...	...	...
er/es/sie	...			
...				

b Notieren Sie Fragen. Fragen Sie im Kurs. Berichten Sie.

Musstest du mit 14 mit deinen Eltern spazieren gehen?

Durftest du mit 12/14/16 ...
Konntest du mit 12/14/16 ...
Musstest du zu Hause ...
Bis wie viel Uhr konntest du ...

am Wochenende wegbleiben?
mit deinen Eltern spazieren gehen?
mit deiner Freundin verreisen?
deiner Mutter helfen?
Fahrrad/Auto fahren?
jeden Sonntag in die Kirche / Freitag in die Moschee gehen?
mit Freunden in die Ferien fahren?
Partys feiern?
samstags in die Disco gehen?
mit dem Computer arbeiten?
...

Kasimir durfte mit 14 mit Freunden in die Ferien fahren.

Carlos musste mit seinen Eltern spazieren gehen.

Der Vater von Yong-Min konnte nur vier Jahre in die Schule gehen.

9 Familien und andere Lebensformen

a Lesen Sie die Grafiken und die Texte. Welche Grafik passt zu welchem Text?

Ⓐ

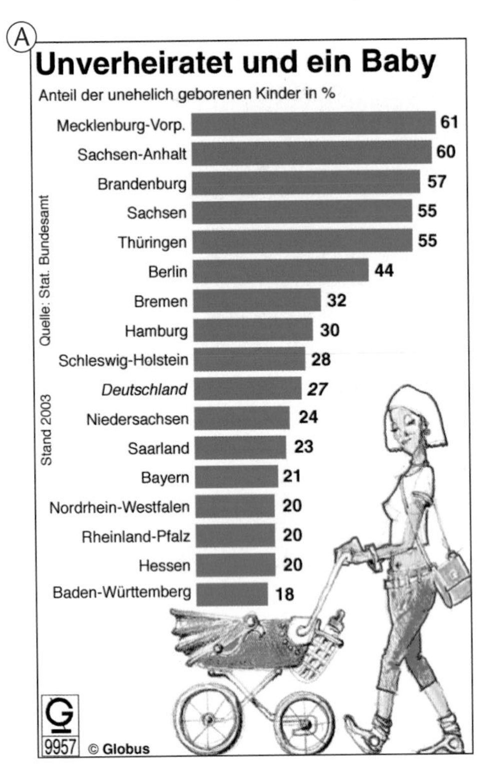

Ⓑ

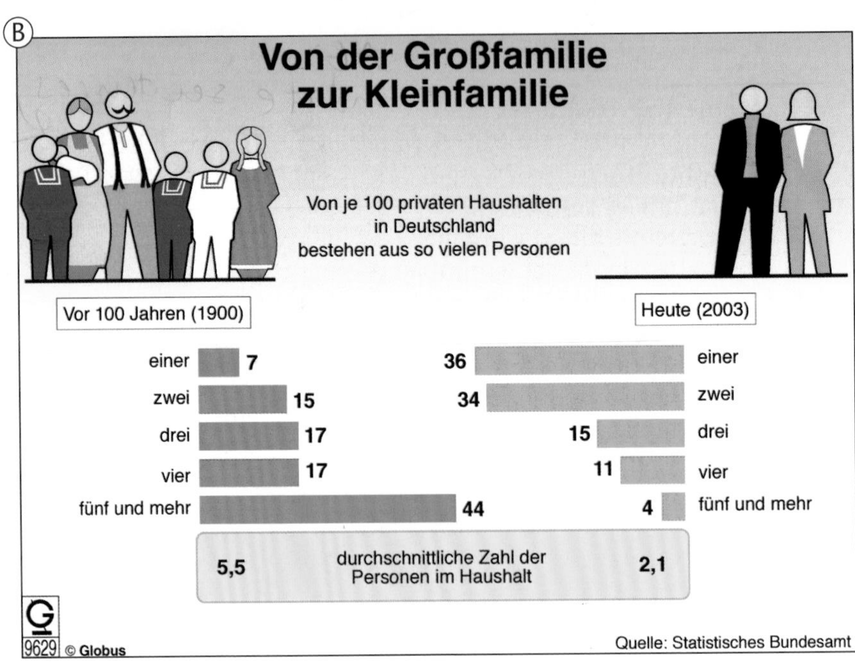

Text 1

Vor 100 Jahren gehörten in Deutschland zu einer Familie fünf Personen oder mehr. Heute sind fast 40 % der Bevölkerung Singles. Über 30 % leben zu zweit in einem Haushalt. Nur noch in 5 % der Haushalte leben fünf Personen. Was ist heute eine Familie? Ist eine alleinerziehende Mutter mit Kind eine Familie – oder gehört der Vater dazu? Viele Menschen glauben heute, die Ehe passt nicht mehr in unsere Zeit. Sie leben unverheiratet zusammen. Die Zahl der Geburten sinkt, die Zahl der Scheidungen steigt.

Text 2

Früher war das ein Problem, aber heute ist es normal: Viele Kinder kommen auf die Welt und die Eltern sind nicht verheiratet. Die Eltern von 27 % aller Kinder in Deutschland sind heute nicht verheiratet. In einigen Bundesländern gibt es sogar mehr nichtehelich geborene Kinder als eheliche. Auch in den anderen Bundesländern ist der Anteil dieser Kinder sehr hoch und wird jedes Jahr größer. In den westdeutschen Bundesländern ist die Zahl von Kindern mit unverheirateten Eltern kleiner als in den ostdeutschen.

b Lesen Sie die Texte noch einmal und ordnen Sie dann 1–8 und a–h zu.

1. „Nichtehelich" heißt:	___	a) allein in einer Wohnung.
2. Die meisten nichtehelichen Kinder	___	b) Die Eltern sind nicht verheiratet.
3. Im Westen haben mehr Kinder	___	c) immer weniger Kinder.
4. In Deutschland waren die Familien	___	d) gibt es in Mecklenburg-Vorpommern.
5. Heute leben viele Menschen	___	e) mit fünf Personen oder mehr in einer Wohnung.
6. Nur noch wenige Familien leben	___	f) verheiratete Eltern als im Osten.
7. Die Deutschen haben	___	g) sind nach einigen Jahren kaputt.
8. Immer mehr Ehen	___	h) vor hundert Jahren größer.

10 Drei „Familien"

1.20–22 **a Hören Sie die drei Aussagen. Zu welchen Grafiken passen die Aussagen? Kreuzen Sie an.**

Florian, 29, Ingenieur
Christina, 33, Krankenschwester

Grafik [A] [B]

Else, 74, Rentnerin
Beate, 26, Journalistin

Grafik [A] [B]

Ines, Miriam, Nina und Sven

Grafik [A] [B]

1.21 **b Hören Sie Aussage 2 noch einmal. Kreuzen Sie an und korrigieren Sie die falschen Sätze.**

	R	F
1. Beate Gutschmid wohnt mit ihrem Freund zusammen.	☐	☒
2. Beate Gutschmid ist Journalistin von Beruf.	☐	☐
3. Durch ihren Beruf hat Beate Gutschmid wenig Zeit für ihre Familie.	☐	☐
4. Beate Gutschmid ist die Tochter von Else Gutschmid.	☐	☐
5. Else Gutschmid wohnt mit vielen Menschen zusammen.	☐	☐
6. Als Kind hatte Else Gutschmid eine große Familie.	☐	☐
7. Elses Kinder wohnen alle in Eppelheim oder in Heidelberg.	☐	☐
8. Der Mann von Else Gutschmid lebt nicht mehr.	☐	☐
9. Beate Gutschmid ist nicht oft bei ihrer Familie.	☐	☐
10. Beate sagt: Ich brauche meine eigene Familie.	☐	☐

1.22 **c Hören Sie Aussage 3 noch einmal und ergänzen Sie die Sätze.**

~~36~~ • 33 • 10 • 8 • Sven • Miriam • Mutter • Mutter • Tochter • Sohn

1. Ines ist ___36___ Jahre alt.
2. Sie ist die ________ von ________.
3. Ihr ________ ist ________ Jahre alt.
4. Nina ist ________ Jahre alt.
5. Sie ist die ________ von ________.
6. Ihre ________ ist ________ Jahre alt.

d Welche Ausdrücke und Erklärungen passen zusammen?

1. meine vier Wände
2. Wir gehören zusammen.
3. geschieden sein
4. Patchwork-Familie
5. ledig sein

a) Man war verheiratet, aber man ist es nicht mehr.
b) Die Eltern haben Kinder aus früheren Ehen/Beziehungen.
c) Man weiß: Man will zusammen leben.
d) Man war noch nie verheiratet.
e) Das ist meine eigene Wohnung.

Im Alltag

1 Über Feste und Feiern sprechen

Weihnachten	Frohe Weihnachten! Danke, dir/Ihnen auch schöne Festtage!
Silvester/Neujahr	Alles Gute im neuen Jahr! Viel Glück und Erfolg. Einen guten Rutsch! Dir/Ihnen auch.
Ostern	Frohe Ostern!
Hochzeit	Alles Gute zur Hochzeit. Viel Glück für euch/Sie beide! Danke, das ist lieb von euch/Ihnen.

2 Gute Wünsche und Beileid

Prüfungen	Herzlichen Glückwunsch. Ich wünsche dir/Ihnen weiter viel Erfolg. Das hast du toll gemacht! Weiter so! – Danke.
Geburt	Herzlichen Glückwunsch zu eurer Tocher. Wir freuen uns sehr für euch.
Geburtstag	Herzlichen Glückwunsch zum Geburtstag. Alles Gute! Viel Erfolg und vor allem Gesundheit im neuen Lebensjahr.
Unfall/Krankheit	Gute Besserung! / Alles Gute! – Danke, das ist nett von dir/Ihnen.
Tod	Herzliches Beileid!

3 Einladungen aussprechen und auf Einladungen reagieren

Unsere Hochzeit feiern wir am … um … im …
Zu unserem Fest laden wir euch herzlich ein.
Ihr kommt doch? Bitte sagt uns bis … Bescheid.

Wir kommen gerne.
Wir kommen, aber …
Wo können wir übernachten?
Wir können leider nicht kommen.
Können wir unseren Sohn mitbringen?

4 Über Geschenke sprechen

Was können wir euch schenken?
Was schenkst du deinem/deiner …?
Was schenkt man bei euch zu/zum/zur …?
Schenkt man bei euch …?

Habt ihr eine Geschenkeliste?
Ich schenke meinem Bruder ein Buch.
Man schenkt oft einen/ein/eine/ – …
Nein, das kann man nicht schenken. / Ja, sehr oft.

5 Über Familie und Freunde sprechen

Bist du verheiratet? / Lebst du allein?
Hast du Geschwister/Kinder …?
Wen triffst du oft?
Wie lange kennst du ... schon?
Wo hast du … kennengelernt?
Mit wem sprichst du über Probleme?

Ich bin ledig/verheiratet/geschieden/getrennt.
Ja, einen Bruder / eine Tochter …
Ich treffe meine Eltern jeden Monat.
Seit dem Kindergarten / der Grundschule …
Im Urlaub. / Bei der Arbeit. / In der Universität.
Mit meiner Frau / meinem Freund / meinen Eltern.

Darüber möchte ich nicht sprechen.

Das fragt man bei uns nicht.

▶ S. 126

TIPP Fragen zur Familie oder zum Alter finden manche Leute sehr privat.

Grammatik

1 Possessivartikel: Nominativ, Akkusativ, Dativ (Zusammenfassung)

	Maskulinum	Neutrum	Femininum	Plural
Nominativ Das ist/sind …	mein Bruder.	mein Kind.	meine Schwester.	meine Kinder.
Akkusativ Ich besuche …	meinen Bruder.	mein Kind.	meine Schwester.	meine Kinder.
Dativ Ich schenke … eine Uhr.	meinem Bruder	meinem Kind	meiner Schwester	meinen Kindern

2 Verben mit zwei Ergänzungen: Dativ- und Akkusativergänzung

Subjekt	Verb	Dativergänzung (Person)	Akkusativergänzung (Sache)
Ich	wünsche	dir/euch/Ihnen	ein schönes Fest.
Ich	empfehle	Ihnen	einen Gutschein.
Dagmar	schenkt	Johannes/ihm	eine CD.
Karina	schreibt	ihrem Freund/ihm	eine SMS.
Er	gibt	seiner Freundin/ihr	den Ring.
Wir	kaufen	unseren Kindern/ihnen	einen Computer.

Diese Verben haben oft eine Dativ- und eine Akkusativergänzung:
schenken, geben, kaufen, empfehlen, (sich) wünschen, schreiben

3 Modalverben im Präteritum

Infinitiv	dürfen	können	müssen	wollen
ich	durfte	konnte	musste	wollte
du	durftest	konntest	musstest	wolltest
er/es/sie	durfte	konnte	musste	wollte
wir	durften	konnten	mussten	wollten
ihr	durftet	konntet	musstet	wolltet
sie/Sie	durften	konnten	mussten	wollten

Aussprache

Satzmelodie und Satzakzent 1

Im Satz bleibt die Satzmelodie gleich:
Wir haben eine große Familie, → aber wir leben nicht alle in Deutschland.↘

Bei Aufzählungen liegt der Satzakzent immer auf dem letzten Wort.
Zu meiner Familie gehören meine Eltern, → mein Bruder, → meine Großmutter und unser **Hund**!↘

15 Miteinander leben

Ich habe eine neue Heimat

1992 habe ich Bosnien verlassen, weil dort Krieg war.
Ich bin nach Frankfurt zu Onkel und Tante gegangen. Ich habe Deutsch gelernt und eine Ausbildung gemacht. Die Familie hat mir sehr dabei geholfen.
1995 wollte ich in meine Heimat zurück, aber dann habe ich meinen Mann kennengelernt und wir haben geheiratet. Liebe macht die Integration viel leichter! Viele Einwanderer können sich nur schwer an das neue Land und an die andere Kultur gewöhnen. Wenn man eine andere Kultur nicht akzeptieren kann, dann findet man auch keine neue Heimat. Manchmal überlege ich: Wo ist eigentlich meine Heimat? Meine Antwort ist klar: Meine Heimat ist da, wo es mir gut geht!
Zurzeit ist das Deutschland.

Sabaheta Klein

Wie wird man Deutscher?

Meine Familie kommt aus der Türkei und lebt seit über 30 Jahren in Deutschland. Ich bin in Deutschland geboren und aufgewachsen. Ich habe einen deutschen Pass. Bin ich nun Deutscher oder Türke? Ist Deutschland meine Heimat oder die Türkei?

Für meine Verwandten in der Türkei bin ich „der Deutsche". Das kann ich verstehen, weil ich ja nur manchmal zu Besuch komme. Aber für viele Deutsche bleibe ich immer „der Türke". Man ist für viele Deutsche noch lange nicht Deutscher, wenn man den deutschen Pass hat. Auch gut Deutsch sprechen ist nicht genug. Weil ich heiße, wie ich heiße, und aussehe, wie ich aussehe, bin ich für manche nie einer von ihnen.

Feridun Üstun

Von der anderen Kultur lernen

Ich arbeite bei einer internationalen Software-Firma und lebe in den USA und in Deutschland.
Ich habe mich gut auf das Arbeiten und Leben im Ausland vorbereitet. Die Sprache war kein Problem, weil ich in der Schule Englisch gelernt habe. Die Firma hat mir sehr geholfen: Kurse in „Business-English" und wichtige Informationen über den „American way of life".
„Das gibt keine Probleme, weil die USA und Deutschland ja zwei westliche Länder sind." Das habe ich geglaubt, bis ich den amerikanischen Alltag kennengelernt habe. Am Anfang sieht alles sehr locker aus, aber man muss sehr viele Regeln kennen.
Wenn man in zwei Kulturen lebt, kann man sehr gut vergleichen und viel von der anderen Kultur lernen. Ich hoffe, dass ich das auch kann.

Anne-Kathrin Helmes

Lernziele

- Gefühle ausdrücken
- etwas begründen
- um Rat fragen und Ratschläge geben
- Verständnishilfen erbitten und anbieten
- Bedingungen nennen
- Konflikte besprechen

Ich bin ein spanischer Schwabe

1970 bin ich mit meiner Frau nach Stuttgart gekommen. Ich habe in der Autoindustrie gearbeitet. Am Anfang war das Leben in Deutschland nicht einfach. Viele Deutsche hatten Vorurteile gegen „Gastarbeiter". Oft haben sich die Nachbarn beschwert, weil die Kinder zu laut waren oder weil wir so spät ins Bett gegangen sind, und natürlich, weil es im Hausflur nach Olivenöl und Knoblauch gerochen hat!
Seit dieser ersten Zeit hat sich vieles verändert. Wir haben Deutsch gelernt und unsere Nachbarn sind nach Spanien in den Urlaub gefahren.
Heute kochen wir oft zusammen mit Nachbarn und Kollegen (mit viel Olivenöl!).
Wenn ihre Kinder Probleme in Spanisch haben, helfe ich ihnen.
Ich finde, man kann in einem anderen Land leben und seine Kultur behalten. Heute bin ich ein spanischer Schwabe.

Enrique Alvarez

1 Vier Personen, vier Erfahrungen

a Lesen Sie A–D. Sprechen Sie im Kurs: Zu welchen Texten passen die Figuren am besten?

① 
② 
③ 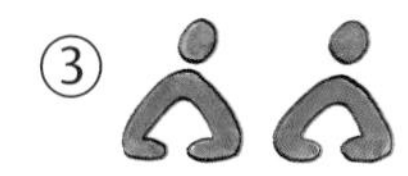
④ 

b Lesen Sie die Aussagen. Zu welchen Personen passen sie? Es gibt mehrere Möglichkeiten.

1. Die Leute schauen mich an und fragen: Wo kommen Sie denn her? B
2. Wenn ich hier leben will, dann finde ich auch meine neue Heimat. ______
3. Ich habe Arbeit gesucht, darum bin ich nach Deutschland gekommen. ______
4. Ich habe mich gut vorbereitet, aber der Alltag ist doch ganz anders. ______
5. Die Familie ist eine sehr große Hilfe. ______
6. Man muss die neue Sprache lernen! ______
7. Viele Deutsche sind heute offener als früher. ______
8. Jetzt kenne ich zwei Kulturen. Das ist doch prima! ______

c Ihre Erfahrungen: Sammeln Sie an der Tafel.

Das macht das Leben leicht.	Das macht das Leben schwer.
Meine Familie ist auch hier.	Man muss immer leise sein.
Es gibt viele Landsleute.	Das Essen ist ganz anders.

Feelings

2 Gefühle ausdrücken

1.23 **a Hören Sie 1–5. Welches Symbol passt? Ergänzen Sie: ☺, 😐 oder ☹.**

Enrique ◯ Fatma ◯ Samira ◯ Feridun ◯ Sabaheta ◯

b Hören Sie noch einmal und ordnen Sie zu.

1. Enrique ist stolz, – proud
2. ______ ist enttäuscht,
3. e ist Sorgen,
4. ______ hat Angst,
5. ______ ist zufrieden,

___ a) weil er so wenig Kontakt mit Deutschen hat.
___ b) weil sie ihr erstes Bewerbungsgespräch hat.
___ c) weil sie Ausländern hilft.
1 d) weil er sehr gut Deutsch spricht.
___ e) weil sie ihrem Sohn in der Schule nicht helfen kann.

3 Etwas begründen – *weil*

a Sammeln Sie Sätze im Kurs und markieren Sie die Verben im Hauptsatz und Nebensatz.

Hauptsatz	WARUM?	Nebensatz
Enrique (ist) stolz,	weil	er sehr gut Deutsch (spricht).
Ich (lerne) Deutsch,	weil	ich in Deutschland (lebe).

b Wie heißt die Regel? Kreuzen Sie an: a oder b.

1. Im **Hauptsatz** steht das konjugierte Verb [a] auf Position 2 [b] am Ende.
2. Im **Nebensatz** steht das konjugierte Verb [a] auf Position 2 [b] am Ende.

c Schreiben Sie die Sätze.

1. Ich / in Deutschland, / lebe • weil / meine Frau / ist / Deutsche
2. Paolo / Deutsch lernen, / will • weil / in einer deutschen Firma / arbeiten / er
3. Wir / Ausländern, / helfen • weil / die Probleme / kennen / wir
4. Samira / keine Probleme, / hat • weil / leicht / sie / findet / Freunde
5. Fatma / nicht helfen, / kann / ihrem Sohn • weil / gelernt hat / noch nicht / viel Deutsch / sie
6. Frau Helmes / Englisch / gelernt, / hat • weil / in die USA / gegangen / sie / ist
7. Sabaheta / Migranten, / berät • weil / gemacht / die gleichen Erfahrungen / hat / sie
8. Feridun / traurig, / ist • weil / er / hat / noch wenig Kontakt mit Deutschen / gefunden

d Schreiben Sie drei Sätze über sich.

Ich bin froh / traurig / zufrieden ..., weil ...
Ich habe Sorgen / Angst, weil ...

Write as many sentences w/feelings as I can using weil

4 Konfliktsituationen

⊙ 1.24 **a Lesen und hören Sie die Dialoge. Ordnen Sie die Bilder zu.**

Ⓐ

Ⓑ

Ⓒ

Dialog 1

● Die spinnen doch!↘ Frau Radic, kommen Sie bitte mal?↗

○ Was gibt's, Chef?↗

● Jetzt müssen wir auch noch das Lager putzen.↘

○ Moment mal, ich arbeite hier als Verkäuferin, nicht als Putzfrau.↘

● Ich weiß, ich weiß, aber die Zentrale schreibt, wir müssen sparen.↘

○ Haben Sie das schon mit meinen Kolleginnen besprochen?↗

● Ähm, nein, die Mail ist gerade gekommen.↘

○ Ich schlage vor, wir besprechen das mit allen und dann suchen wir eine Lösung.↘

● Haben Sie eine Idee?↗

Dialog 2

○ Guten Tag, Frau Gruber.↘

● Entschuldigung, können Sie bitte die Musik leiser machen?↗

○ Sind wir zu laut?↗ Wir machen eine Party, weil Mona heute Geburtstag hat.↘

● Ich bin krank und die Musik ist wirklich zu laut.↘

○ Das tut mir leid.↘ Entschuldigung.↘

● Ich weiß, Geburtstag ist nur einmal im Jahr.↘ Können Sie in den Park gehen?↗

○ Hm, das ist schlecht.↘ Schauen Sie, es regnet.↘ Aber die Musik machen wir gleich etwas leiser.↘

● Das ist nett, vielen Dank.↘

○ Gute Besserung, Frau Gruber.↘

Dialog 3

● Juri, es gibt ein Problem.↘ Wir müssen am Wochenende arbeiten.↘

○ Jetzt am Wochenende?↗

● Ja, wir müssen auf Montage.↘ Die Überstunden bekommen wir natürlich bezahlt.↘

○ Das geht nicht, weil ich da auf dem Schulfest bin.↘

● Das ist doch nicht so wichtig.↘ Da kann doch deine Frau hingehen.↘

○ Doch, für mich ist das sehr wichtig, weil ich da bei der Organisation mitarbeite.↘

● Aber der Meister sagt, …→

○ Tut mir leid, ich kann wirklich nicht.↘ Hast du Johann schon gefragt?↗

b Lesen Sie die Dialoge zu zweit laut. Zeigen Sie Ärger, Sorge …

c Welche Lösungen gibt es? Sammeln Sie zu zweit.

Dialog 1:
wer putzt, hat 2 Stunden frei
…

Dialog 2:
ein Stück Torte zu Frau Gruber bringen
…

Dialog 3:
Kollegen fragen
…

5 Sabahetas Tipps

⊙ 1.25 **a Lesen und hören Sie die Tipps. Welche finden Sie wichtig? Notieren Sie.**

1. Also, ich habe mir immer Fragen notiert, wenn ich eine Auskunft gebraucht habe.
2. Wenn du etwas nicht verstanden hast, dann musst du sofort nachfragen. Da gibt es viele Möglichkeiten, z. B.: „Entschuldigung, ich spreche noch nicht so gut Deutsch. Können Sie das bitte wiederholen?“, „Können Sie bitte langsamer sprechen?“, „Können Sie das einfacher sagen?“
3. Nachfragen ist eine einfache Technik, wenn man keinen Konflikt will. Das funktioniert überall auf der Welt.
4. Die Deutschen sind in der Regel sehr pünktlich. Wenn du einen Termin beim Amt hast, musst du pünktlich sein!
5. Wichtig ist die Höflichkeit. Wenn man „bitte“ sagt, dann geht es oft leichter. Und ein Lächeln öffnet viele Türen!
6. Viele Besucher fragen: „Wie kann man Kontakt finden?“ Wenn du Leute kennenlernen willst, dann musst du zu den Leuten gehen. Sport ist eine gute Möglichkeit. Oder du machst eine Grillparty im Park mit Bekannten oder Kollegen. Alle bringen etwas mit. So habe ich meinen Mann kennengelernt.

b Bedingungen nennen mit *wenn …, (dann) …* – Schreiben Sie Sabahetas Tipps in der Ich-Form wie im Beispiel.

> *1. Wenn ich eine Auskunft brauche, (dann) notiere ich Fragen.*
> *2. Wenn ich etwas nicht verstehe, (dann) frage ich sofort nach.*

c Ordnen Sie 1–6 und a–f zu.

1. Wenn ich einen Termin habe,
2. Wenn ich eine Auskunft brauche,
3. Wenn die Leute so schnell sprechen,
4. Wenn der Kurs vorbei ist,
5. Wenn ich Leute treffen will,
6. Wenn du etwas nicht verstanden hast,

___ a) (dann) machen wir ein großes Fest.
___ b) (dann) bin ich pünktlich.
___ c) (dann) gehe ich in den Park.
___ d) (dann) kann ich sie nicht verstehen.
___ e) (dann) musst du nachfragen.
___ f) (dann) notiere ich mir Fragen.

d Sammeln Sie weitere Tipps in der Klasse.

Wenn du im Winter nach Deutschland kommst, …
Wenn du eine Wohnung suchst, …
Wenn dich jemand zum Essen einlädt, …
Wenn …

6 Aussprache: Satzmelodie und Satzakzent 2

⊙ 1.26 **a Hören Sie und sprechen Sie leise mit. Achten Sie auf die Satzmelodie und den Akzent.**

Wenn du einen Termin beim Amt hast, → dann musst du **pünkt**lich sein. ↘
Wenn du etwas nicht verstehst, → dann musst du **nach**fragen. ↘
Wenn du eine Auskunft brauchst, → dann notier dir deine **Fra**gen. ↘

b Sprechen Sie die Tipps aus 5c laut.

7 Konflikte besprechen

a Welches Foto passt zu den Situationen 1–5?

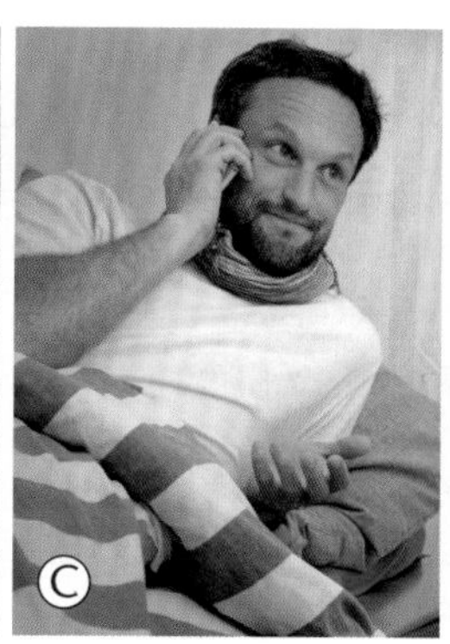

1. ___ Sie sind der nächste Kunde / die nächste Kundin. Jemand drängt sich vor.
2. ___ An der Kasse: Sie haben zu wenig Geld zurückbekommen.
3. ___ Es ist 22.30 Uhr. Ihr Nachbar sieht fern, sehr laut. Sie sind krank.
4. ___ Sie ziehen um. Der Möbelwagen kommt gleich. Jemand parkt vor Ihrem Haus.
5. ___ Im ICE: Sie haben eine Reservierung. Jemand sitzt auf Ihrem Platz.

Choose

b Wählen Sie eine Situation und schreiben Sie einen Dialog.

auffordern	Fahren Sie bitte weg. • Machen Sie bitte den Fernseher leiser. • Zählen Sie nach. • Zeigen Sie mir bitte Ihre Reservierung. • Stellen Sie sich bitte an. • …
Gründe angeben	Ich war zuerst da! • Das ist mein Platz. • Hier können Sie nicht parken. Ich ziehe um. • Ich bin krank. • …
nachfragen	Haben Sie das Schild nicht gesehen? • Haben Sie eine Reservierung? • Entschuldigung, ich habe Sie nicht verstanden. • …
um Rat fragen Rat/Hinweis geben	Was soll ich machen? • Was machen wir jetzt? • Was meinen Sie? • Sie müssen sich anstellen. • Hier vorne sind noch Plätze frei. • …
Vorschläge machen/ annehmen	Ich schlage vor … • Wir können doch … • Einverstanden. • Das ist eine gute Idee. • …
Entschuldigung	Entschuldigung. • Entschuldigen Sie bitte. • Das tut mir sehr leid. Kein Problem. • Das macht nichts. • …

c Spielen Sie zu zweit.

8 Das erste Wort

Lesen Sie und überlegen Sie: Was war Ihr erstes Wort in einer Fremdsprache?

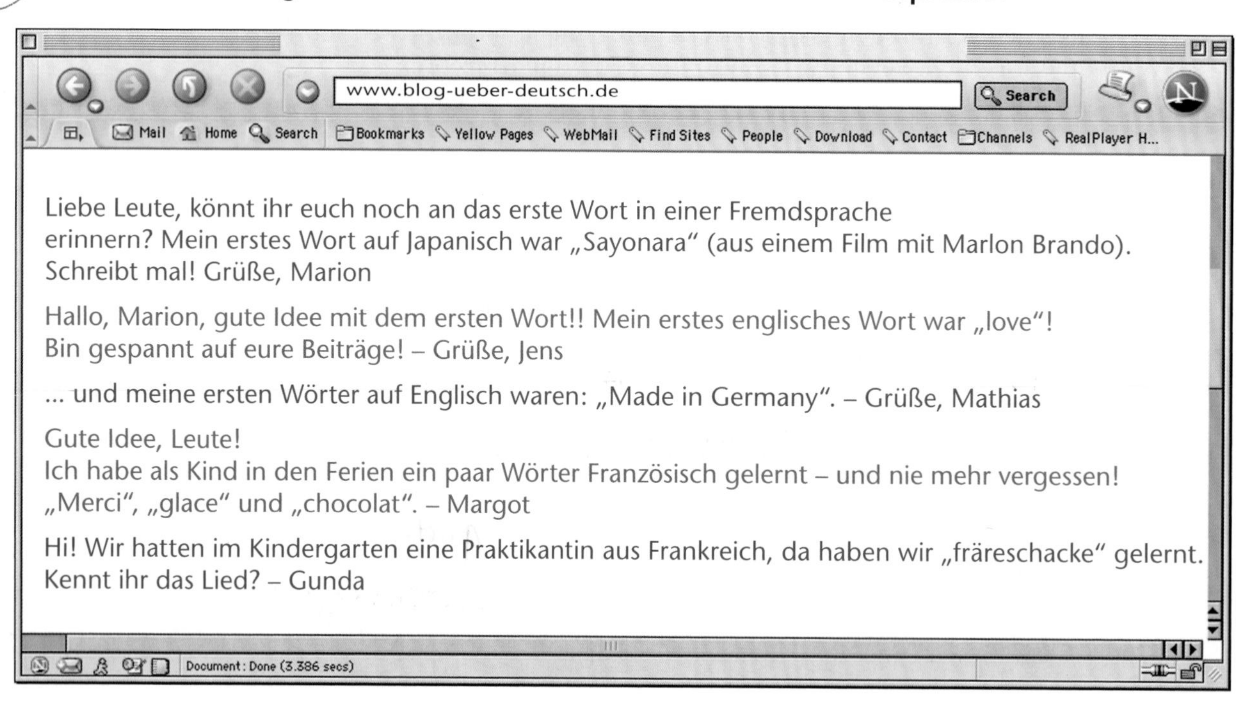

Liebe Leute, könnt ihr euch noch an das erste Wort in einer Fremdsprache erinnern? Mein erstes Wort auf Japanisch war „Sayonara" (aus einem Film mit Marlon Brando). Schreibt mal! Grüße, Marion

Hallo, Marion, gute Idee mit dem ersten Wort!! Mein erstes englisches Wort war „love"! Bin gespannt auf eure Beiträge! – Grüße, Jens

... und meine ersten Wörter auf Englisch waren: „Made in Germany". – Grüße, Mathias

Gute Idee, Leute!
Ich habe als Kind in den Ferien ein paar Wörter Französisch gelernt – und nie mehr vergessen! „Merci", „glace" und „chocolat". – Margot

Hi! Wir hatten im Kindergarten eine Praktikantin aus Frankreich, da haben wir „fräreschacke" gelernt. Kennt ihr das Lied? – Gunda

9 Das erste deutsche Wort

a Lesen Sie die Texte A–C. Welche Geschichte gefällt Ihnen am besten?

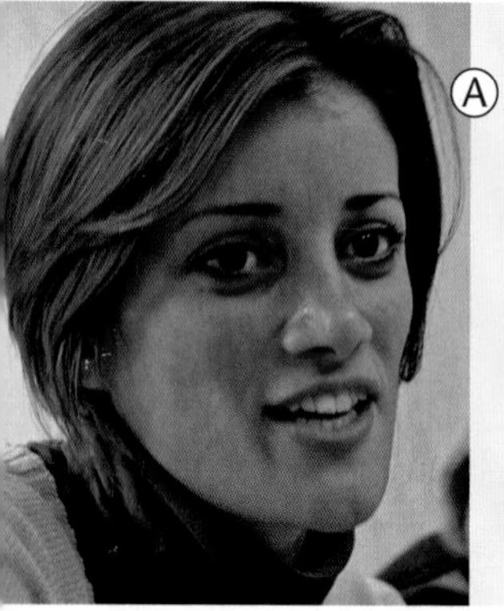

Ⓐ Elham: Achtung! Achtung!

Vor meinem ersten Sprachkurs habe ich nur zwei deutsche Wörter gekannt: „Hallo" und „Achtung!" Beide Wörter habe ich in alten Filmen gehört. Ich habe gewusst: Zwei Wörter sind wenig. Niemand will ein schlechter Schüler sein und darum habe ich vor dem Kurs die deutschen Zahlen gelernt. Im Kurs hat die Lehrerin mich gefragt: „Wie alt bist du?"
Und ich war sehr glücklich. Die Antwort war nämlich eine Zahl und die konnte ich: „twenty acht". Alle in der Klasse haben gelacht und ich habe erst nicht gewusst, warum sie gelacht haben. Aller Anfang ist schwer.

Hürü Kök: Mein erstes Wort war „Schokolade"

Eine typisch deutsche Oma hat mir die Tafel in die Hand gegeben und Silbe für Silbe gesagt: „Scho-ko-la-de". Ich habe probiert und sofort gewusst: Dieses Wort vergesse ich nie mehr. Damals war ich gerade fünf Jahre alt und erst ein paar Tage in Deutschland. Bald habe ich gemerkt, dass nicht alle deutschen Wörter so einfach waren wie Schokolade. Zum Beispiel das Wort „Schulanmeldung". Beim Deutschlernen konnten mir meine Eltern nicht helfen. Im Gegenteil, weil sie selbst nie richtig Deutsch gelernt haben, musste ich für sie mitlernen und war ihr Sprachrohr in die deutsche Welt.

Ⓑ

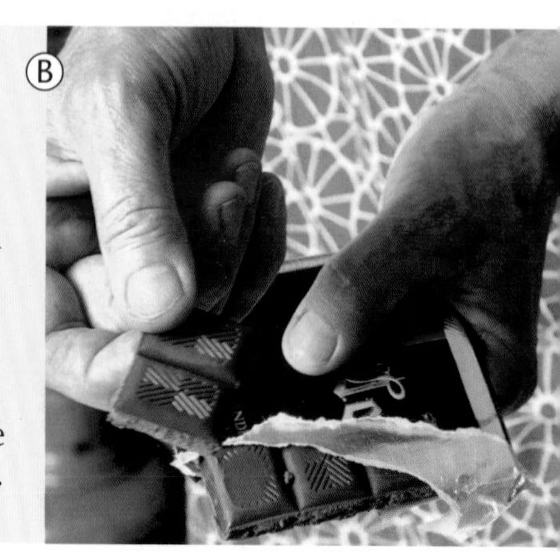

Nermina Nuhodzic: Duldung

Im Flüchtlingsamt konnten meine Mutter und ich unsere neuen Pässe abholen. Damals konnten wir kein Wort Deutsch. Die neuen Pässe waren so schön: dunkelblau mit einem Wappen auf dem Umschlag, innen ein paar Seiten mit einem Aufkleber. Und dann habe ich den großen Stempel gesehen: „DULDUNG“.
Was war das? Man hat mir gesagt, dass wir hier nicht erwünscht sind, aber wir werden geduldet. Ich habe das nicht verstanden. Meine Mutter hat es mir so erklärt: Deine Verwandten besuchen dich nach langer Zeit. Aber du hast nur eine kleine Wohnung und willst sie nicht mit ihnen teilen.

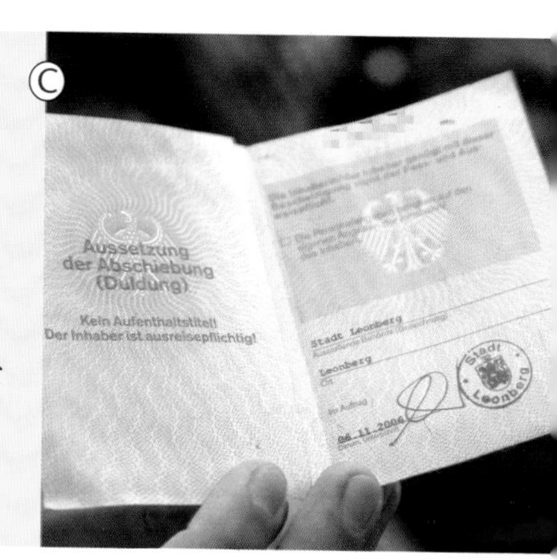

b Was war Ihr erstes deutsches Wort? Sammeln Sie im Kurs.

10 Eine Umfrage: Mein deutsches Lieblingswort

1.27 **a Hören und notieren Sie die Lieblingswörter.**

b Sammeln Sie Ihre „Lieblingswörter“ im Kurs.

Projekt „Mein Land in Deutschland“

Suchen Sie Ihr Land in Deutschland: im Fernsehen, in der Zeitung, auf der Straße ... Machen Sie Fotos. Vergleichen Sie im Kurs.

Auf einen Blick

Im Alltag

1 Gefühle ausdrücken

Freude	Ich bin froh, weil ich schnell Leute getroffen habe. Ich bin sehr zufrieden mit meiner Arbeit.
Bedauern	Ich kann dir leider nicht helfen. Schade! Leider kann ich morgen nicht. Tut mir leid.
Sorge	Ich mache mir Sorgen, weil er nicht anruft. Was ist los? Warum ruft er nicht an?
Angst	Ich habe Angst vor dem Gespräch.

2 Etwas begründen

Wir leben gern hier, weil wir viele Freunde haben.
Ich lebe in Deutschland, weil ich hier Arbeit gefunden habe.
Sabaheta arbeitet mit Migranten, weil sie die Probleme kennt.

3 Verständnishilfen erbitten und anbieten

Nachfragen	Ich habe Sie/dich leider nicht verstanden. Entschuldigung, ich spreche noch nicht so gut Deutsch. Können Sie das bitte wiederholen? Können Sie bitte langsamer sprechen? Können Sie das einfacher sagen?

Entschuldigung, was haben Sie gesagt?

4 Konflikte besprechen

nach Gründen fragen	Warum parken Sie hier?
Gründe angeben	Die Musik ist zu laut. / Ich bin krank. / Das ist mein Platz! / ...
um Rat fragen	Was machen wir? / Was soll ich machen? /Was denkst/meinst du?
Ratschläge geben	Du musst zuerst Notizen machen. / Du kannst im Büro anrufen.
Vorschläge machen	Ich schlage vor ... / Wir können doch ... / Wollen wir zusammen ...?
Vorschläge annehmen	Einverstanden. / Das ist eine gute Idee.
sich entschuldigen	Entschuldigung. / Entschuldigen Sie bitte. / Das tut mir sehr leid.
Entschuldigungen akzeptieren	Kein Problem. / Das macht nichts.

5 Bedingungen nennen

Wenn du etwas nicht verstanden hast, (dann) musst du nachfragen.
Wenn du einen Termin auf dem Amt hast, (dann) musst du pünktlich sein.
Wenn Sie so schnell sprechen, (dann) verstehe ich Sie nicht.
Wenn ich eine Auskunft brauche, (dann) notiere ich mir vorher Fragen.

▶ S. 128

Grammatik

1 Etwas begründen – Nebensätze mit *weil*

Hauptsatz	Nebensatz mit *weil*	
Ich bin glücklich,	**weil** ich schon viele Freunde habe.	
Ich bin zufrieden,	**weil** ich schon ganz gut Deutsch spreche.	
Ich habe mir Sorgen gemacht,	**weil** ich wenig Kontakte hatte.	Präteritum
Ich war traurig,	**weil** ich niemanden getroffen habe.	Perfekt
Ich freue mich,	**weil** ich morgen nicht arbeiten muss.	Modalverb

In Nebensätzen steht das konjugierte Verb am Ende.

2 Bedingungen nennen – Nebensätze mit *Wenn …, (dann) …*

Der Nebensatz mit *wenn* steht sehr oft vor dem Hauptsatz.

Nebensatz	Hauptsatz
Wenn du etwas nicht verstanden hast,	(dann) musst du sofort nachfragen.
Wenn man keine Konflikte will,	(dann) ist Nachfragen eine einfache Technik.

Er kann aber auch nach dem Hauptsatz stehen.

Hauptsatz	Nebensatz
Du musst sofort nachfragen,	**wenn** du etwas nicht verstanden hast.
Nachfragen ist eine einfache Technik,	**wenn** man keine Konflikte will.

Aussprache

Satzmelodie und Satzakzent 2

Im Satz bleibt die Satzmelodie gleich.

Wenn du einen Termin beim Amt hast, → musst du **pünkt**lich sein. ↘

Bei Satzgefügen (Hauptsatz + Nebensatz) liegt der Satzakzent immer auf dem letzten Satzteil.

Wenn du etwas nicht ver**stehst**, → musst du **nach**fragen. ↘
Sabaheta ist zu**frie**den, → weil sie Tipps und Informa**tio**nen geben kann. ↘

1 Kopf oder Zahl

Werfen Sie eine Münze.

Zahl? Gehen Sie 1 Schritt weiter und lösen Sie Aufgabe A oder B.

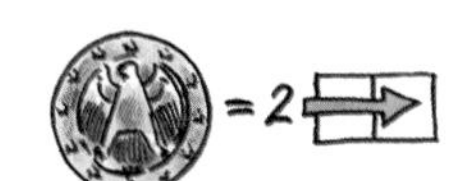

Kopf? Gehen Sie 2 Schritte weiter und lösen Sie Aufgabe A oder B.

Richtig? Sie bleiben auf dem Feld.

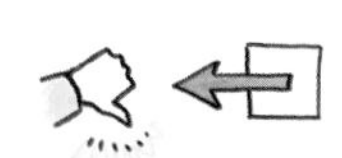

Falsch? Gehen Sie wieder zurück.

Start

A		B
Nennen Sie fünf Kleidungsstücke mit Artikel. 	1	Vater und Mutter sind die E...
Personalpronomen im Akkusativ. Ergänzen Sie. ich – mich / du – ... / er – ... / wir – ...	2	Personalpronomen im Dativ. Ergänzen Sie. ich – mir / du – ... / er – ... / wir – ...
Bruder und Schwester sind die G...	3	Der Sohn meines Bruders ist mein ...
Wie heißt der Dialog? ● gefallen / d... / der Rock / ? ○ nein / gefallen / er / m... / nicht / .	4	Machen Sie je eine Aussage. Das macht das Leben leicht: ... Das macht das Leben schwer: ...
Welches Wort passt nicht? nett • freundlich • schrecklich • höflich	5	Wie heißt der Satz? ich / eine DVD / meiner Freundin / schenken / .
Ergänzen und antworten Sie. ● ... Sie mit 14 allein ausgehen? ○ ...	6	Ergänzen und antworten Sie. ● ... Ihre Urgroßmutter Auto fahren? ○ ...
Wie groß war eine „normale" deutsche Familie vor 100 Jahren: 3, 5 oder 9 Personen?	7	Nennen Sie drei wichtige Feste in Deutschland.
Thema „Hochzeit" – Nennen Sie drei Wörter. 	8	Wie viel Prozent der Deutschen sind heute Singles: 5 %, 30 % oder 40 %?
Ihr Kollege hat Geburtstag. Was sagen Sie?	9	Was passt zu Ostern? Sprechen Sie. 
Wie heißt das Gegenteil? lang – ... / teuer – ... / klein – ...	10	Gute Wünsche zu Weihnachten. Was sagt man? F... W...!
Antworten Sie. ● Warum warst du gestern nicht im Kurs? ○ Weil ...	11	Sagen Sie den Satz zu Ende. Ich verkaufe meine Deutschbücher, weil ...

12

Welche Frage passt?
● Warum ...?
○ Weil ich morgen Prüfung habe.

Antworten Sie.
● Warum kommst du so spät?
○ Weil ...

13

Sie haben eine Einladung zu einer Party und möchten nicht hingehen. Was sagen Sie?

Was schenken Sie gerne Erwachsenen und was Kindern?
Erwachsenen schenke ich ...

14

Nennen Sie je drei Kleidungsstücke zu:
bei der Arbeit
in der Freizeit

Was zieht man im Winter an?
Nennen Sie drei Kleidungsstücke.

15

Wann haben Sie Geburtstag?

Nennen Sie drei Verben zu einem Fest.

16

Was möchten Sie gern zum Geburtstag? Nennen Sie drei Dinge.
Ich möchte gern ...

Ergänzen Sie.
● Gefällt ... die Musik?
○ Ja, wir finden ... super!

17

Was ist richtig?
1. An Ostern gibt es ein Feuerwerk.
2. An Silvester feiert man eine Party.

Sagen Sie die Sätze zu Ende.
Wenn es regnet, ...
Wenn es warm ist, ...

18

Wo kann man günstig Kleidung kaufen? Nennen Sie drei Orte.

Sie haben im Laden zu wenig Geld zurückbekommen. Was sagen Sie?

19

Antworten Sie.
Welche Feste feiert Ihre Familie?

Es ist zwei Uhr morgens. Ihr Nachbar hört sehr laut Musik. Sie sind krank. Was tun Sie?

20

Ergänzen Sie.
... ich einen Termin habe,
... bin ich pünktlich.

Ergänzen Sie.
Die Jacke ist zu kurz. Nimm die hier, die ist ...
Die Hose ist zu eng. Nimm die hier, die ist ...

21

Zwei Tipps für Deutschland:
Wenn du im Winter kommst, ...
Wenn du zum Arzt gehst, ...

Sie haben eine Einladung zu einer Hochzeit. Sie nehmen die Einladung an.
Was sagen Sie?

22

Jemand ist krank. Was sagen Sie?

Wie heißt Ihr Lieblingswort auf Deutsch?

23

Konflikte vermeiden –
Eine einfache Technik ist:
nichts sagen – nachfragen – Fragen notieren

Sagen Sie den Satz zu Ende.
Wenn ich morgen Zeit habe, ...

24

Wie heißen die Artikel?
Geschenk • Ei • Geburtstag • Kirche • Standesamt

Was ist Ihr Lieblingskleidungsstück und warum?
Mein Lieblingskleidungsstück ist ..., weil ...

25

Welches Wort passt nicht in die Reihe?
eng – kurz – kalt – weit

Wie heißt das Gegenteil?
verheiratet – l...

Ziel

2 Eine kleine Geschichte zur Pünktlichkeit

a Lesen Sie und ordnen Sie die Bilder dem Text zu.

Sonntag, 26. März, 7 Uhr morgens. Es ist Sonntag, aber Kurt Vogel steht sehr früh auf. Seine Freundin Nicoletta kommt um zehn Uhr zum Frühstück. Nicoletta ist Italienerin.
5 Kurt geht ins Bad, duscht, putzt die Zähne und föhnt die Haare. Dann holt er den Staubsauger und macht die Wohnung sauber. Um 8 Uhr 30 macht er den MP3-Player an und spielt Musik von Vivaldi. Kurt liebt Vivaldis „Die vier
10 Jahreszeiten" und er liebt Nicoletta.
Kurt geht in die Küche und kocht Kaffee. Er schaut auf die Uhr: 9 Uhr! Noch eine Stunde Zeit. Er trinkt eine Tasse Kaffee und klappt das Bett zusammen. Das Bett ist eine Bettcouch:
15 nachts ein Bett, am Tag ein Sofa.
Danach deckt er den Tisch: eine saubere Tischdecke, Teller, Tassen, Messer, Eierbecher und Servietten. In die Mitte vom Tisch stellt er einen Blumenstrauß. Die Musik ist zu Ende. Er
20 geht zum MP3-Player und wählt Musik von J. S. Bach aus.
Dann geht er wieder in die Küche und bereitet das Frühstück vor: Orangensaft, Toast, Butter, Käse und Schinken, Tomaten und Obst. Dann
25 kocht er zwei Eier – fünf Minuten. Fertig!
9 Uhr 50. Um zehn Uhr will Nicoletta da sein. Er öffnet das Fenster. Die Luft ist warm, der Frühling ist nicht mehr weit. Aber Nicoletta kommt nicht.
30 11 Uhr 30: Die Eier sind so kalt wie der Kaffee. Warum kommt sie nicht?

Um zwölf Uhr klingelt es! Kurt rennt zur Tür und macht auf:
„Nicoletta! Du bist zu spät! Viel zu spät! Wo
35 warst du? Warum hast du nicht angerufen?"
„Guten Morgen! Was ist denn los mit dir? Freust du dich nicht? Willst du, dass ich wieder gehe?"
„Nein, äh, doch, ich freu mich natürlich, aber
40 du bist zu spät! Alles ist jetzt kalt! Immer kommst du zu spät!"
„Kurt! Ich bin pünktlich! Ich bin immer pünktlich! Darf ich reinkommen?"
„Äh, entschuldige, klar, komm rein. Aber du
45 bist zu spät. Zwei Stunden zu spät."
„Du bist blöd! Es ist zehn Uhr!"
„Nein, zwölf Uhr!"
„Deine Uhr geht falsch! Es ist zehn Uhr. Seit heute ist Sommerzeit!"
50 „Eben! Du musst die Uhr vorstellen!"
„Nein, zurückstellen!"
„Quatsch, Sommerzeit ist eine Stunde mehr."
„So ein Unsinn! Auch im Sommer hat der Tag nur 24 Stunden und nicht 25."
55 „So meine ich das nicht!"
„Und überhaupt gibt es in Deutschland gar keinen richtigen Sommer. Ihr braucht gar keine Sommerzeit!" Sie schauen sich an und lachen. Dann sagen sie gleichzeitig: „Komm,
60 wir gehen zu ‚Leone' Mittag essen!"

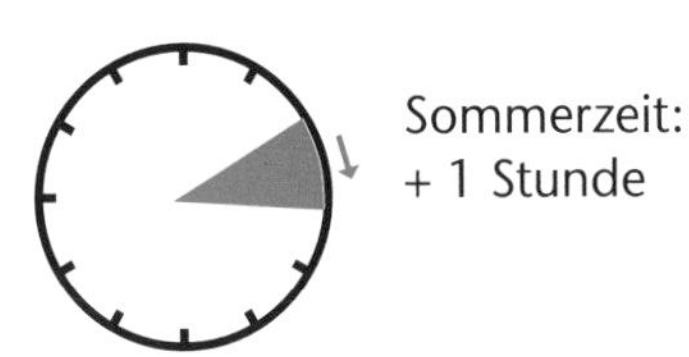
Sommerzeit:
+ 1 Stunde

Winterzeit:
– 1 Stunde

Die Sommerzeit gilt von Ende März bis Ende Oktober.

b Fragen zum Text – Schreiben Sie Fragen wie im Beispiel und fragen Sie im Kurs.

Um wie viel Uhr will Kurt mit Nicoletta frühstücken?
Wann …?
Warum …?
Wer …?
Mag Nicoletta Kaffee?

c Spielen Sie den Dialog zwischen Kurt und Nicoletta. Sie können den Text auch variieren.

– Nicoletta wird richtig sauer und geht. Kurt ruft sie an.
– Der Streit wird heftiger, aber Kurt entschuldigt sich am Ende.
– …

Effektiv lernen

Aussprache selbstständig üben
Hier sind einige Tipps, wie Sie Ihre Aussprache selbstständig verbessern können.

1. Überlegen Sie immer: Welche Wörter sind für mich schwierig?
2. Sprechen Sie diese Wörter zunächst einzeln.
3. Überlegen Sie immer: Wo liegt der Wortakzent? Wenn Sie Wörter im Wörterbuch nachschlagen, dann achten Sie auch auf den Wortakzent.
4. Experimentieren Sie mit Texten. Wählen Sie sich einen kurzen Text aus.
   – Überlegen Sie: Wo liegen die Satzakzente?
   – Sprechen Sie im Stehen, vor einem Spiegel, vor Publikum.
   – Sprechen Sie mit verschiedenen Emotionen.
   – Variieren Sie Gestik und Mimik.
5. Achten Sie beim Sprechen auf Blickkontakt.
6. Bitten Sie um Korrektur durch Muttersprachler/innen.

Probieren Sie die Tipps mit diesem Text aus.

Grußbotschaften – Für Dieter Kerschek

ich grüße euch & euch & euch
ich grüße auch euch
ich grüße alle anderen ebenfalls
ich grüße mich Dieter Kerschek besonders
ich grüße zurück & im voraus
ich grüße den der mich grüßt
ich grüße selbst den der mich nicht grüßt
ich lasse grüßen
ich grüße die toten wie die lebendigen
ich grüße aus dem urlaub
ich grüße die kreisenden kosmonauten
ich grüße die hauskatze schnurr (sie grüß ich)
ich grüße diese grußbotschaften
ich grüße die begrüßen dass
ich grüße

Video

Teil 1
Das steht dir gut.

a Jenny und Olga sprechen über Kleidung. Was ist richtig? Kreuzen Sie an.

1. Das Kleid war ...
   [a] sehr teuer.
   [b] ein Sonderangebot.
   [c] nicht billig.

2. Woher hat Olga das Kleid?
   [a] Aus dem Kaufhaus.
   [b] Aus dem Katalog.
   [c] Aus der Ramschkiste.

3. Jenny trägt gern ...
   [a] Hosen.
   [b] Röcke.
   [c] Kleider.

b Ergänzen Sie die Sätze. Kontrollieren Sie mit dem Video.

Der Rock ist zu ...
Die Hose ist zu ...
Das Kleid ist zu ...
...

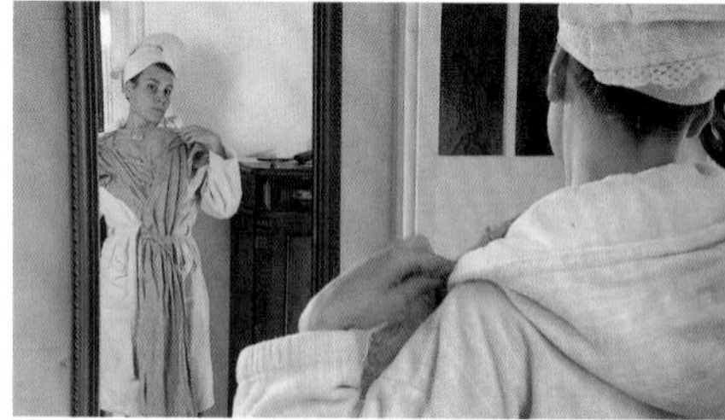

Teil 2
Ich schenk ihr ein/e/n ...

a Was schenkt Gasan?

b Für wen ist das Geschenk?

c Was könnte noch in dem Paket sein?

Was kann ich schon?

Machen Sie die Aufgaben 1–9 und kontrollieren Sie im Kurs.

1. Notieren Sie die Kleidungsstücke mit Artikel.

2. Beschreiben Sie jemanden im Kurs. Die anderen raten.

3. Im Kaufhaus
Was sagen Sie?
– Sie suchen die Damenabteilung.
– Sie haben eine Hose probiert. Sie ist zu weit.

4. Gute Wünsche
Was sagen Sie …
– zum Geburtstag?
– zu Weihnachten/Neujahr?
– zu Ostern?
– bei Unfall/Krankheit?

5. Thema „Geschenke"
Drei Personen, drei Geschenke:
Mein… … schenke ich …
Mein… … schenke ich …
Ich schenke m… …

6. Was durften Sie als Kind und was durften Sie nicht?
(je zwei Beispiele)

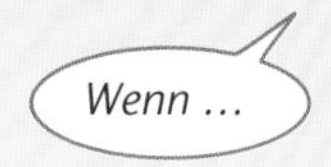

7. Nachfragen – Was sagen Sie?
– Jemand spricht schnell.
– Jemand spricht undeutlich.
– Jemand spricht kompliziert.

8. Gründe angeben mit *weil*
– Sie können nicht zum Deutschkurs kommen.
– Sie möchten etwas früher nach Hause gehen.

9. Bedingungen nennen
– Das Wetter ist schlecht.
– Ich will Leute treffen.

Wenn …

Mein Ergebnis finde ich: ☺ 😐 ☹

Ich über mich

Schreiben Sie über ein Fest.

Unser wichtigstes Fest ist das Zuckerfest. Wir feiern es am Ende vom „Ramadan". Der „Ramadan" dauert einen Monat. Das ist der Fastenmonat. In dieser Zeit dürfen gläubige Moslems den ganzen Tag nichts essen und trinken, nicht rauchen, keine laute Musik hören usw.
Und so ist der Ablauf vom Zuckerfest:
Am Morgen geht man in die Moschee und dann besucht man die Verwandtschaft. Das Haus oder die Wohnung ist ganz sauber geputzt und aufgeräumt. Bei allen Verwandten gibt es Süßigkeiten und süße Speisen. Deshalb der Name „Zuckerfest". Das Zuckerfest dauert meistens drei Tage.

Endlich 18!
Mein 18. Geburtstag war wirklich ein besonderes Fest. Ich habe das erste Mal nur mit meinen Freunden gefeiert – ohne Familie!
Mein Bruder war natürlich schon dabei, aber meine Eltern nicht!
Sie haben mir die Party zum Geburtstag geschenkt, also alles bezahlt: tolles Essen, viele Getränke und einen richtigen DJ (das ist ein Mensch, der Musik zum Tanzen zusammenstellt).
Zuerst habe ich alle Freunde begrüßt und ich habe viele Geschenke bekommen – die musste ich alle „öffentlich" auspacken.
Und dann haben wir gegessen und später getanzt. Ich glaube, die Party hat bis zum nächsten Morgen gedauert.
Ja, jetzt bin ich 18.

16 Schule und danach

Helene Tilkowski

Name: Alexander Straube
Alter: 23 Jahre
Schulabschluss: Hauptschulabschluss
Ausbildung: Lehre
Beruf: Maler
Berufsziel: eigene Firma

Lernziele

- über Schule, Ausbildung und Weiterbildung sprechen
- über Pläne und Wünsche sprechen
- Meinungen äußern
- Informationstexte verstehen

1 Schule in Deutschland

a Sehen Sie die Bilder an. Was denken Sie: Wo arbeiten die Personen? Was ist ihr Beruf?

1.28 **b Hören Sie zu und notieren Sie die Informationen wie im Beispiel oben.**

1 In Deutschland gibt es die Schulpflicht. Die Kinder kommen mit fünf oder sechs Jahren in die Schule und müssen mindestens neun Jahre in die Schule gehen. Die staatlichen Schulen sind 5 kostenlos, aber es gibt auch Privatschulen. Der Staat kontrolliert alle Schulen.
Vier oder sechs Jahre gehen alle Kinder in die Grundschule, je nach Bundesland. Danach gibt es verschiedene Schulen: die Hauptschule, die 10 Realschule (Mittelschule), das Gymnasium oder die Gesamtschule.
Nach dem Hauptschulabschluss in der 9. oder 10. Klasse kann man weiter zur Schule gehen. Oder man macht eine Ausbildung im Betrieb 15 und geht in die Berufsschule.
Die Schulpflicht endet nach Abschluss einer Ausbildung oder mit dem 18. Lebensjahr.

Mit dem Realschulabschluss nach der 10. Klasse (mittlere Reife) kann 20 man weitere Schulen besuchen und einen höheren Abschluss erreichen (z. B. Fachhochschulreife). Oder man macht eine Ausbildung im Betrieb.
25 Wenn man nach der 12. Klasse im Gymnasium oder in der Gesamtschule das Abitur besteht, kann man an einer Universität studieren.

30 Für Erwachsene gibt es viele Weiterbildungsmöglichkeiten. Sie können Schulabschlüsse nachholen oder sich im Beruf fortbilden. Wer einen Beruf hat, kann an Abendschulen weiterlernen und Abschlüsse bis zum Abitur machen.

Lilia Boldt

Sebastian Baumann

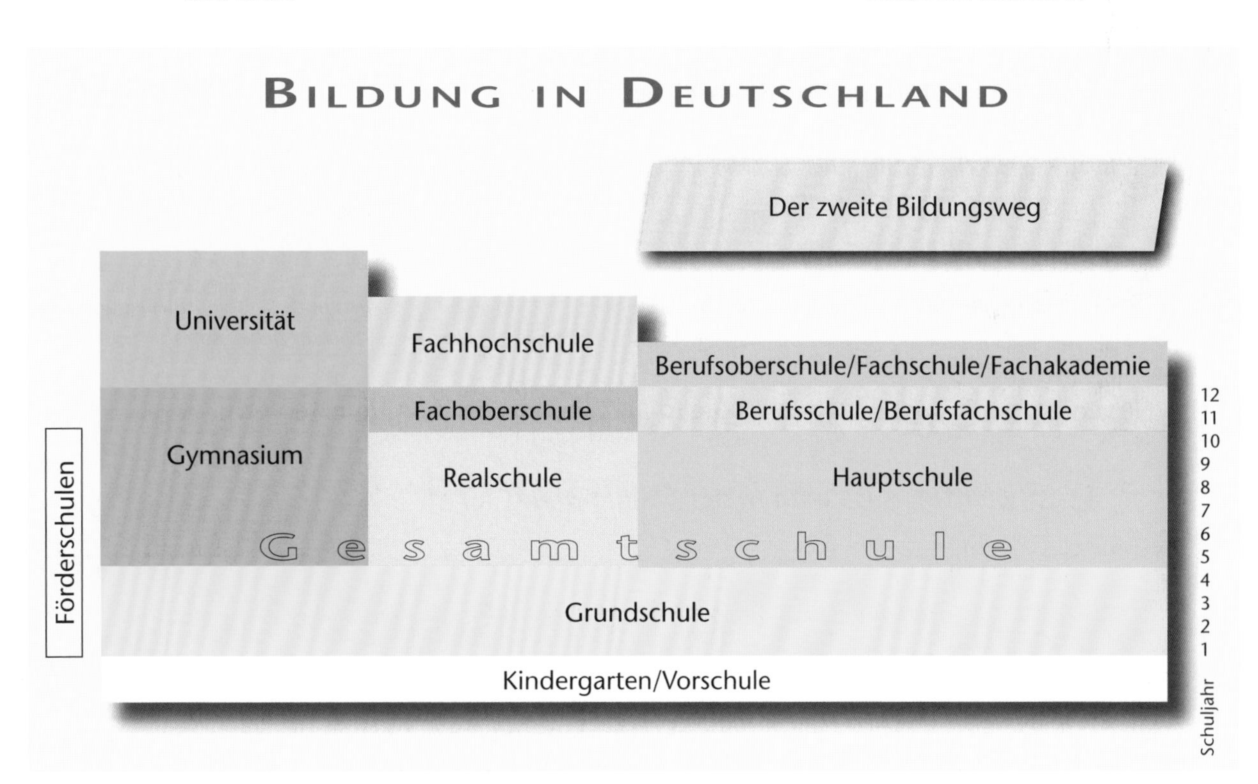

c Grafik und Infotext – Wo finden Sie die Antworten zu diesen Fragen?

1. Welche Schule müssen alle Kinder besuchen?
2. Nach der Grundschule gibt es verschiedene Schularten. Wie heißen sie?
3. Wie lange muss man in Deutschland mindestens zur Schule gehen?
4. In welcher Schule kann man das Abitur machen?
5. Welchen Schulabschluss braucht man mindestens für eine Berufsausbildung?
6. Was kann man nach dem Abschluss der 10. Klasse machen?

2 Schule und Ausbildung in Ihrem Land

a Sammeln Sie Fragen und machen Sie Interviews.

Wie lange muss man bei euch/Ihnen in die Schule gehen?
Nach wie vielen Jahren hat man einen Abschluss?
Gehen Jungen und Mädchen in die gleichen Schulen?
Kosten die Schulen Geld?
Kann man nach ...

Bei uns muss man mindestens ... Jahre in die Schule gehen.
Nach ... Jahren hat man einen Schulabschluss.
Dann kann man ... gehen oder ...
Wenn man studieren will, dann ...
Für die Universität muss man eine Aufnahmeprüfung machen.
Die Berufsausbildung sieht bei uns so aus: Zuerst ... Dann ... Danach ...

b Berichten Sie im Kurs.

3 Meinungen

a Lesen Sie. Welcher Meinung stimmen Sie zu?

Es ist wichtig, dass man in der Schule etwas lernt. Alles andere ist nicht wichtig.

Vormittags Schule, nachmittags Hausaufgaben: Ich finde nicht gut, dass die Kinder zu Hause auch noch arbeiten müssen.

40 Kinder in einer Klasse: Ich finde das zu viel.

Ich finde gut, dass man nach der Berufsausbildung weiter in die Schule gehen kann.

b Nebensätze mit *dass* – Markieren Sie in 3a *dass* und das konjugierte Verb.

Es ist wichtig, dass man in der Schule etwas lernt.

c Thema „Schule" – Was finden Sie wichtig, gut/schlecht, richtig/falsch? Sprechen Sie im Kurs.

Ich denke, Ich finde, Es ist (nicht) gut, Ich finde wichtig, Ich finde (nicht) gut,	dass alle Kinder in die Schule gehen müssen. dass die Kinder so viele Hausaufgaben machen müssen. dass man in Deutschland keine Schuluniform tragen muss. dass Mädchen und Jungen in dieselbe Klasse gehen. dass die Schule kostenlos ist. dass die Kinder regelmäßig Tests schreiben. dass es ab der ersten Klasse Noten gibt. dass Sport ...

d Schreiben Sie fünf Sätze zum Thema „Schule".

Schuljahre • Schulzeit • Freizeit • Lehrer • Hausaufgaben • Schulfächer • Tests • Noten • Geld ...

4 Berufsausbildung

a Lesen Sie die Texte und die Aussagen 1–8. Kreuzen Sie an.

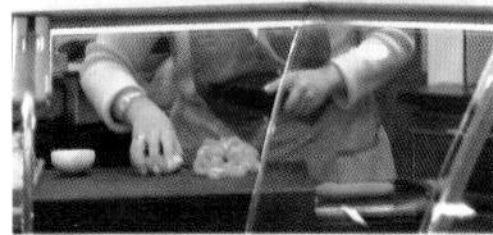

Doris Matthes, 40

Ich habe eine Ausbildung in einer Metzgerei gemacht und danach vier Jahre in einem Supermarkt gearbeitet. Dann konnte ich meine Meisterprüfung machen, das hat ein Jahr gedauert. Auf der Meisterschule habe ich meinen Mann kennengelernt und bin mit ihm nach Stuttgart gegangen. Hier haben wir seit über zehn Jahren unsere eigene Metzgerei.

Robert Keitel, 35

Ich habe eine kaufmännische Lehre im Geschäft von meinen Eltern gemacht. Wir haben schon seit drei Generationen einen Familienbetrieb. Mein Vater hat mich ausgebildet und danach habe ich das Geschäft übernommen.
In Abendkursen und zusätzlichen Seminaren habe ich viel über Geschäftsführung und Betriebswirtschaft gelernt.

Michael Postert, 22

Nach der Schule habe ich keine Lehrstelle bekommen. Ich wollte Mechatroniker oder Schlosser werden. Zuerst habe ich meinen Eltern auf dem Bauernhof geholfen und dann war ich bei der Bundeswehr. Danach wollte ich erst mal weit weg. Ich bin nach Australien gereist: „work and travel“ – arbeiten und reisen. Ich habe gejobbt, Englisch gelernt und viel gesehen. Dann habe ich Waldarbeiter gelernt. Vor einem Jahr habe ich meine Ausbildung abgeschlossen.

Meike Schmidt, 28

Mit 17 Jahren war ich schwanger und habe deshalb geheiratet. Ich habe mein Abitur später am Abendgymnasium gemacht und dann Medizin studiert. Mein Mann hat in dieser Zeit den ganzen Haushalt organisiert.
Ein Jahr ist er bei unserer Tochter zu Hause geblieben. Jetzt haben wir es geschafft! In der letzten Woche haben wir mein Examen gefeiert.

	R	F		R	F
1. Frau Matthes hat keinen Beruf gelernt.	☐	☐	5. Herr Postert ist Schlosser von Beruf.	☐	☐
2. Sie hat die Meisterschule besucht.	☐	☐	6. Er hat bei seinen Eltern gearbeitet.	☐	☐
3. Herr Keitel hat bei seiner Mutter gelernt.	☐	☐	7. Frau Schmidt hat zwei Kinder.	☐	☐
4. Er hat sich in seiner Freizeit weitergebildet.	☐	☐	8. Ihr Mann hat eingekauft und gekocht.	☐	☐

b Markieren Sie die Perfektformen in den Texten und sammeln Sie an der Tafel.

Ich habe eine Ausbildung in einer Metzgerei gemacht.

c Partizip II – Sammeln Sie die Formen und machen Sie eine Tabelle.

ge-...-(e)t ge-...-en	...-ge-...-(e)t ...-ge-...-en	...-t ...-en
gemacht	abgeschlossen	studiert

5 Aussprache: Pausen und Akzent

⊙ 1.29 **a Hören Sie und sprechen Sie leise mit.**

Maria ist / zwölf Jahre / zur **Schu**le gegangen.↘//
Sie hat / eine Ausbildung / im **Kauf**haus gemacht.↘//
Sie hat / zwei Jahre / in ihrem Be**ruf** gearbeitet.↘//
Dann / hat sie ge**hei**ratet / und ist nach **Deutsch**land gekommen.↘//
Jetzt / lernt sie **Deutsch**.↘//

b Üben Sie: Sprechen Sie langsam und achten Sie auf Akzent und Pause.

⊙ 1.30 **c Sie hören den Text in normalem Tempo. Üben Sie: Achten Sie auf die Pausen am Satzende.**

Maria ist zwölf Jahre zur **Schu**le gegangen.↘// Sie hat eine Ausbildung im **Kauf**haus gemacht.↘// Sie hat zwei Jahre in ihrem Be**ruf** gearbeitet.↘// Dann hat sie ge**hei**ratet // und ist nach **Deutsch**land gekommen.↘// Jetzt lernt sie **Deutsch**.↘//

TIPP Sprechpausen sind wichtig, weil man durch Pausen einen Text besser versteht.

6 Was haben Sie nach der Schule gemacht?

a Lesen Sie und fragen Sie Ihren Partner / Ihre Partnerin. Machen Sie Notizen.

Wie lange bist du zur Schule gegangen?
Was hast du nach der Schule gemacht?
Hast du einen Beruf gelernt?
Hast du dir den Beruf selbst ausgesucht?
Wer hat die Ausbildung bezahlt?

Wie lange hat die Ausbildung gedauert?
Hast du eine Prüfung gemacht?
Hast du in deinem Beruf schon gearbeitet?
Hast du studiert? Was?
Was hast du nach dem Studium gemacht?

Ich habe zu Hause geholfen.
Ich habe Militärdienst gemacht.
Ich mache gerade eine Ausbildung.
Ich habe nach dem Abitur ein Studium begonnen.
Ich habe keine Ausbildung gemacht.
Ich habe geheiratet.
Ich habe eine Ausbildung als ... angefangen/gemacht/abgeschlossen.
Ich habe gleich gearbeitet.

b Schreiben Sie einen Text und stellen Sie Ihren Partner / Ihre Partnerin im Kurs vor.

7 Zukunftspläne

1.31 **a Hören Sie zu. Wer plant was? Ordnen Sie die Sätze 1–4 den Personen A–D zu.**

1. ___ will Medizin studieren.
2. ___ möchte einen Deutschkurs machen.
3. ___ möchte eine Weiterbildung machen.
4. ___ will Erzieherin werden.

b Hören Sie noch einmal und kreuzen Sie an: richtig oder falsch?

	R	F	
1. Wenn die Schule vorbei ist, feiern wir!	☐	☐	A Jana (19)
2. Nächstes Jahr gehe ich nach Amerika.	☐	☐	
3. Ich möchte später eine eigene Familie haben.	☐	☐	
4. Nächste Woche beginnt meine Lehre.	☐	☐	B Viktor (21)
5. In zwei Jahren habe ich mein Abitur.	☐	☐	
6. Ich möchte in acht Jahren Medizin studieren.	☐	☐	
7. Die Kinder ziehen bald aus.	☐	☐	C Greta (36)
8. In zwei Wochen habe ich meine erste Prüfung.	☐	☐	
9. Im nächsten Jahr bin ich Hotelkauffrau.	☐	☐	
10. In Zukunft spreche ich besser Englisch.	☐	☐	
11. Im Herbst kommt unser erstes Kind.	☐	☐	D Thomas (32)
12. Ich mache bald meinen Lkw-Führerschein.	☐	☐	

c Welche Wörter in 7b verweisen auf die Zukunft? Markieren Sie sie und sammeln Sie weitere „Zukunftswörter" im Kurs.

Zukunft ausdrücken: Zeitangabe + Präsens
Bald gehe ich zur Uni.
Im nächsten Jahr beginne ich eine Lehre.
Morgen habe ich eine Prüfung.

8 Pläne und Wünsche für die Zukunft

a Wählen Sie 3–5 Zeitangaben aus und schreiben Sie einen Text.

Ich möchte bald ...
Morgen will ich ...
Nächste Woche ...
Im nächsten Monat ...
In zwei Jahren ...

Deutsch lernen • Computerkenntnisse verbessern • studieren • Informatikkurs an der VHS belegen • Ausbildung als ... machen • jobben und Geld verdienen • ein Kind bekommen • eine Familie gründen • ein Jahr ins Ausland gehen und als Au-pair-Mädchen arbeiten • heiraten • Nachtschicht machen • den Führerschein machen • ein Haus bauen • ...

b Notieren Sie Stichworte und stellen Sie Ihren Text im Kurs vor.

Projekt „Schule und Weiterbildung in unserer Stadt"

Welche Schularten gibt es? • Welche Kindergärten gibt es? Was kosten sie? • Gibt es Ganztagsschulen? • Gibt es Berufskollegs? Welche? • Welche Schulen für Erwachsene gibt es?

9 Kindergarten in Deutschland

Wir über uns

Elterninitiativen gibt es seit den 70er Jahren in Deutschland. Seitdem haben wir ein breites Angebot für Kinder aller Altersgruppen geschaffen.

- Elterninitiativen orientieren sich an den Wünschen und Bedürfnissen von Eltern und Kindern.
- Wir sind vielfältig und flexibel: Öffnungszeiten, Gruppengrößen …
- Eltern und Erzieher/innen erarbeiten gemeinsam das pädagogische Konzept.
- Die Kinder werden in kleinen Gruppen (8–12 Kinder) von mindestens zwei Personen betreut.
- Wir fördern die Kinder individuell, z. B. auch beim Sprachenlernen.
- Wir haben Plätze für Kinder von 1 bis 6 Jahren und für Schulkinder.
- In Gruppen mit Kindern von 2½ bis 6 Jahren lernen die Kinder auch voneinander.
- Geschwister von Kindern, die bereits in der Initiative sind, nehmen wir bevorzugt auf.
- Wir haben auch Plätze für Kleinkinder, denn immer mehr Eltern wollen schnell zurück in ihren Beruf.
- Schulkinder: Immer mehr Initiativen bieten Betreuung der Kinder nach der Schule an.
- 90 % der Eltern in den Initiativen sind sehr zufrieden mit ihrer Einrichtung.

Die Eltern brauchen für die Mitarbeit in einer Elterninitiative viel Engagement und Zeit, aber sie ist ein idealer Treffpunkt für Eltern und Kinder und fördert die sozialen Kontakte im Stadtteil.

Das Gefühl „Mein Kind ist gut aufgehoben." führt zu guten Beziehungen unter den Nachbarn und hilft vor allem berufstätigen Frauen. Die Kinder haben mehr soziale Kontakte und Lernerfahrungen im Zusammensein mit anderen Kindern aller Altersstufen.

Elterninitiativen sind in der Regel als Vereine organisiert und bekommen meistens Zuschüsse vom Staat.

Seit 1996 haben Eltern in Deutschland das Recht auf einen Halbtagskindergartenplatz für Kinder ab drei Jahren, bis sie in die Schule gehen. Für jüngere und ältere Kinder gibt es Plätze nach Bedarf. Dieser Rechtsanspruch ist aber von Bundesland zu Bundesland sehr verschieden. In einigen Bundesländern haben die Kinder nur einen Anspruch, wenn ihre Eltern berufstätig sind – und oft wird nicht garantiert, dass der Kindergartenplatz in der Nähe vom Wohnort ist.

Auch die Preise sind von Bundesland zu Bundesland sehr unterschiedlich! So muss z. B. eine Familie in Bremen für zwei Kinder 3.096 Euro im Jahr bezahlen – in München dagegen nur 1.152 Euro. In Lübeck kostet ein Kindergartenplatz sogar 1.692 Euro pro Jahr für ein Kind.

Viele Städte geben Ermäßigung, wenn eine Familie zwei Kinder im Kindergarten hat, andere nicht. In den meisten Städten und Gemeinden sind Kindergartenbeiträge vom Einkommen der Eltern abhängig, aber nicht in allen. In Berlin, Hessen, Niedersachsen, Rheinland-Pfalz und im Saarland ist das letzte Kindergartenjahr kostenlos.

Diese Unterschiede behindern die Chancengleichheit unter Deutschlands Kindern. Deshalb fordern Eltern und Erzieher, dass der Halbtagskindergarten ab dem dritten Lebensjahr in ganz Deutschland kostenlos sein muss. Je früher ein Kind im Kindergarten gefördert wird, desto besser sind seine Chancen im Leben. Das darf nicht an den Kosten für einen Kindergartenplatz scheitern.

a **Lesen Sie die Texte A und B. Ordnen Sie die Überschriften den Texten zu.**

1. **Große regionale Preisunterschiede bei kommunalen Kindergärten**
2. **Elterninitiativen haben ein flexibles Konzept**
3. **Was kostet ein Kindergartenplatz?**
4. **Engagement ist wichtig!**

b **Text A: Ordnen Sie 1–5 und a–e zu.**

1. Eltern und Erzieher/innen bestimmen
2. Kleine Gruppen haben den Vorteil, dass
3. Fast alle Eltern sind
4. Für Elterninitiativen braucht man viel Zeit, aber
5. Die Kinder lernen voneinander, weil

a) verschiedene Altersstufen in einer Gruppe sind.
b) zusammen, wie der Kindergarten arbeitet.
c) man lernt so auch die Nachbarn gut kennen.
d) sehr zufrieden mit den Initiativen.
e) man die Kinder individuell fördern kann.

c **Text B: Beantworten Sie die Fragen.**

1. Worauf besteht seit 1996 ein Rechtsanspruch?
2. Was garantiert dieser Rechtsanspruch nicht?
3. Wie berechnen die meisten Kommunen die Beiträge?
4. Was fordern Eltern und Erzieher für den Halbtagskindergarten?

10 Ein Gespräch

1.32 a **Hören Sie zu: Wer spricht mit wem? Worum geht es? Notieren Sie so viele Stichwörter wie möglich.**

b **Hören Sie noch einmal und kreuzen Sie an: richtig oder falsch?**

	R	F
1. Frau Nowak sucht einen Kindergartenplatz für ihre Tochter.	☐	☐
2. Der Beitrag in der Elterninitiative ist teurer als im städtischen Kindergarten.	☐	☐
3. Die Eltern müssen einmal in der Woche für alle Kinder kochen.	☐	☐
4. Frau Nowak und ihr Mann arbeiten.	☐	☐
5. Der Kindergarten hat flexible Öffnungszeiten.	☐	☐
6. Die Elterninitiative hilft den Kindern beim Sprachenlernen.	☐	☐
7. In einer Elterninitiative müssen die Eltern nicht mitarbeiten.	☐	☐

c **Sie suchen einen Kindergartenplatz. Was ist für Sie wichtig? Sammeln Sie Stichworte und formulieren Sie dann Fragen.**

Kosten / Entfernung von zu Hause / Gruppengröße / Förderprogramme / Öffnungszeiten

d ***Kindergarten, el kinder, jardim …* Wie funktioniert die Kinderbetreuung in Ihrem Land?**

Auf einen Blick

Im Alltag

1 Schulabschlüsse

Schuljahre	Schultyp/Abschluss
9/10	Hauptschule, Gesamtschule / Hauptschulabschluss
10	Realschule, Gesamtschule / Realschulabschluss (mittlere Reife)
12	Gymnasium, Gesamtschule / Abitur, Fachabitur

Städt. Gesamtschule Stieghorst
Sekundarstufe I und II
Bielefeld

Zeugnis

für Hannes Lemcke
Klasse 10 B Schuljahr 2001/02 Halbjahr 1.
~~Versäumte Stunden~~ davon unentschuldigt Stunden

Leistungen

Deutsch (E-Kurs)	befriedigend	Arbeitslehre	
Englisch (E-Kurs)	befriedigend	Technik	
Mathematik (E-Kurs)	gut	Wirtschaft	—
Naturwissenschaften		Hauswirtschaft	—
~~Biologie~~	—	~~Religionslehre~~	befriedigend
Chemie (E-Kurs)	befriedigend	Sport	—
Physik (- Kurs)	gut	~~Kunst~~	befriedigend
Gesellschaftslehre (Erdkunde, Geschichte, Politik)	gut	Musik	—
		~~Textilgestaltung~~	gut

Wahlpflichtbereich I
Naturwissenschaften (erteilt ab Klasse 7) befriedigend

Wahlpflichtbereich II
Französisch (erteilt ab / ~~in~~ Klasse 9) befriedigend
(erteilt in Klasse —)

Zusätzliche Unterrichtsveranstaltungen

1 = sehr gut
2 = gut
3 = befriedigend
4 = ausreichend
5 = mangelhaft
6 = ungenügend

Halbjahreszeugnis 10. Klasse

2 Über Schule und Ausbildung sprechen

Wie viele Jahre bist du / sind Sie zur Schule gegangen?
Hast du / Haben Sie in deinem/Ihrem Heimatland eine Ausbildung gemacht?
Welchen Schulabschluss hast du / haben Sie? Hast du / Haben Sie ein Abschlusszeugnis?
Das ist ungefähr wie in Deutschland der Realschulabschluss / das Abitur ...
Wie lange dauert die Ausbildung / das Studium? Muss man eine Prüfung machen?
Hast du / Haben Sie einen Berufsabschluss / einen Universitätsabschluss?

3 Meinungen, Wünsche, Hoffnungen

Meinungen	Ich finde (nicht), dass 12 Jahre Schule zu wenig sind. Ich denke/meine/glaube, dass eine gute Ausbildung sehr wichtig ist. Es ist wichtig/gut, dass man immer weiterlernen kann.
Wünsche	Ich wünsche mir, dass ich einen Ausbildungsplatz bekomme.
Hoffnungen	Ich hoffe, dass ich einen guten Abschluss mache.

4 Berichten

Ich habe gehört,	dass die Schule in Deutschland sehr schwer ist.
Meine Freundin sagt,	dass sie ein Praktikum machen will.
Sie glaubt,	dass sie dann bessere Chancen hat.

5 Zeitangaben

Vergangenheit	Gegenwart	Zukunft
gestern	jetzt	morgen
vorgestern	heute	übermorgen
(vor)letzte Woche	diese Woche	nächste Woche
(vor)letztes Jahr	dieses Jahr	in zwei Monaten
früher		nächstes Jahr
		im Sommer / im September
		bald/später
		in Zukunft

▶ S. 130

Grammatik

1 Zukunft ausdrücken: Präsens + Zeitangabe

Zeitangabe vor dem Verb:	Nach der Schule	gehe	ich	ins Ausland.
	Morgen	beginnt		der neue Kurs.
Zeitangabe nach dem Verb:	Ich	gehe	nach der Schule	ins Ausland.
	Der neue Kurs	beginnt	morgen.	

2 Nebensätze mit *dass* (▶ S. 35)

Hauptsatz	Nebensatz	
Es ist wichtig,	dass die Schule Spaß	macht.
Es ist gut,	dass man immer weiterlernen	kann.

Gebrauch: siehe S. 50, Punkt 3 und 4

3 Perfekt mit *haben/sein* + Partizip II
Einfache Verben und Verben auf *-ieren*

	Infinitiv		haben/sein		Partizip II
ge...(e)t	lernen	Paul	hat	in der Schule Deutsch	gelernt.
ge...en	gehen	Er	ist	immer gern zur Schule	gegangen.
...t	studieren	Er	hat	in Heidelberg	studiert.

Die meisten Verben bilden das Perfekt wie *machen*: *haben* + *ge...t*.

Unregelmäßige Verben haben die Endung *-en* und oft Vokalwechsel:

trinken, hat getrunken • fliegen, ist geflogen • essen, hat gegessen

Trennbare Verben *(an-, auf-, aus-, ein-...)* und nicht trennbare Verben *(be-, ver-, zer-, ent-...)*

	Infinitiv		haben/sein		Partizip II
Präfix + ge...(e)t	aussuchen	Er	hat	den Beruf selbst	ausgesucht.
Präfix + ge...en	anfangen	Sie	hat	mit 17 Jahren eine Lehre	angefangen.
...(e)t	verdienen	Sie	hat	am Anfang wenig Geld	verdient.
...en	bekommen	Sie	hat	später ein gutes Gehalt	bekommen.

TIPP Verben immer mit Perfektform lernen!

gehen
er/sie geht
Sie ist in die USA gegangen.

Aussprache

Satzakzent und Pausen

Wortgruppen:	kleine Pausen	Greta macht / einen Englischkurs / an der **Volks**hochschule.↘
Satzende:	große Pause	Sie macht das Abi**tur**.↘// Dann möchte sie stu**die**ren.↘//

Der Satzakzent ist immer auf der wichtigsten (neuen) Information.

17 Die neue Wohnung

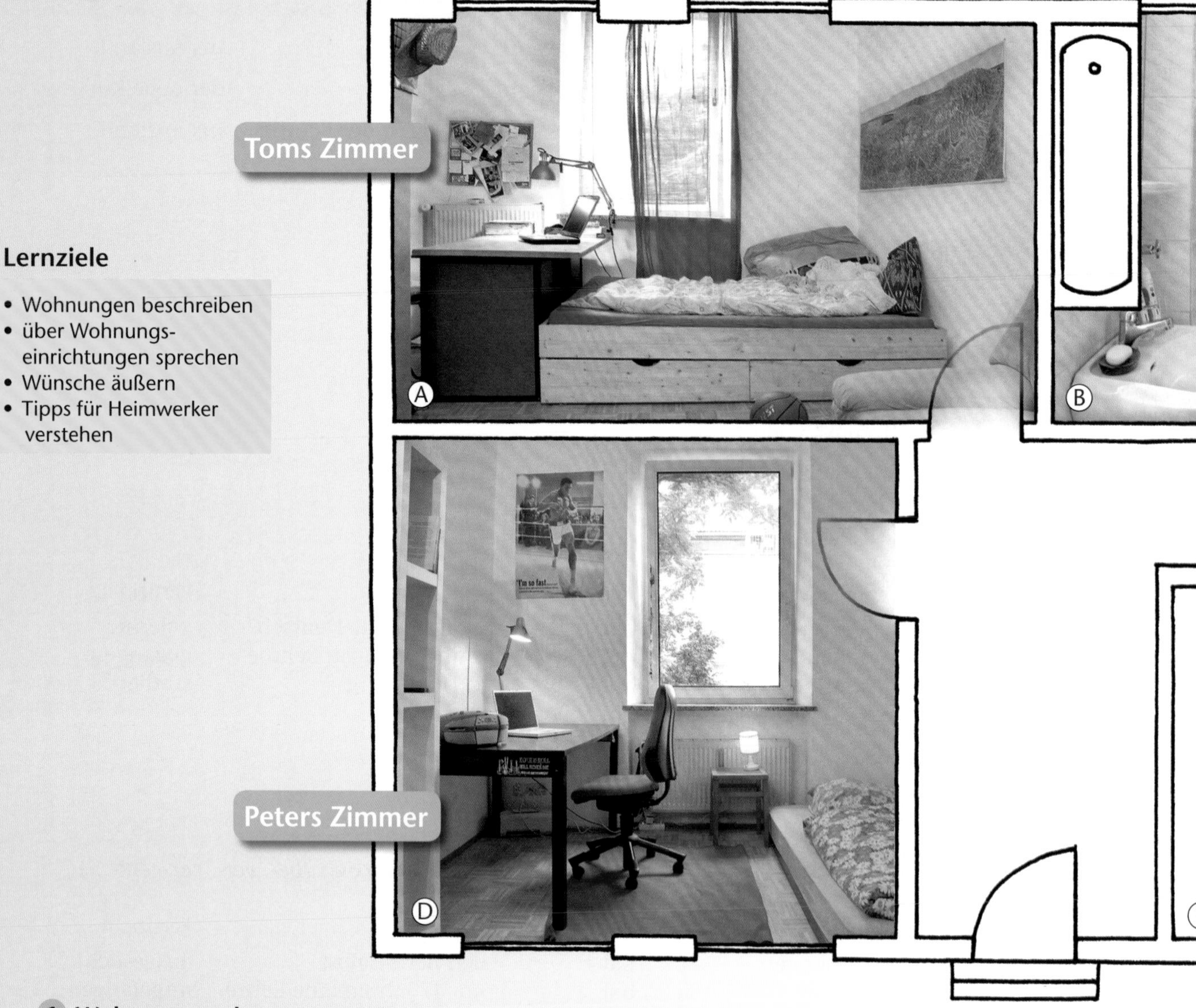

Lernziele

- Wohnungen beschreiben
- über Wohnungseinrichtungen sprechen
- Wünsche äußern
- Tipps für Heimwerker verstehen

1 Wohnungssuche

a Lesen Sie die Wohnungsanzeigen. Welche Anzeige passt zu den Fotos?

① 4 ZKB in Altbau
120 qm, Ofenheizung
605 Euro + NK
Sofort zu vermieten!
Chiffre 87743

② 3 ZKB, Balkon
80 qm, Zentralhzg.
650 Euro + NK
Sofort zu vermieten!
Chiffre 65743

③ 2 ZKB, 65 qm, Zentralhzg.
Neubau! 420 € + NK
Sofort frei
Westbau Immobilien
Tel. 0171-83 38 33 20

⊙ 1.33 **b Hören Sie zu und kreuzen Sie an: a, b oder c.**

1. Tom
- [a] sucht eine Wohnung.
- [b] hat eine Wohnung gefunden.
- [c] hat eine Wohnung vermietet.

2. Die Wohnung ist Tom allein
- [a] zu groß.
- [b] zu teuer.
- [c] zu klein.

3. Peter und Tom
- [a] können sofort einziehen.
- [b] können sofort ausziehen.
- [c] müssen zuerst renovieren.

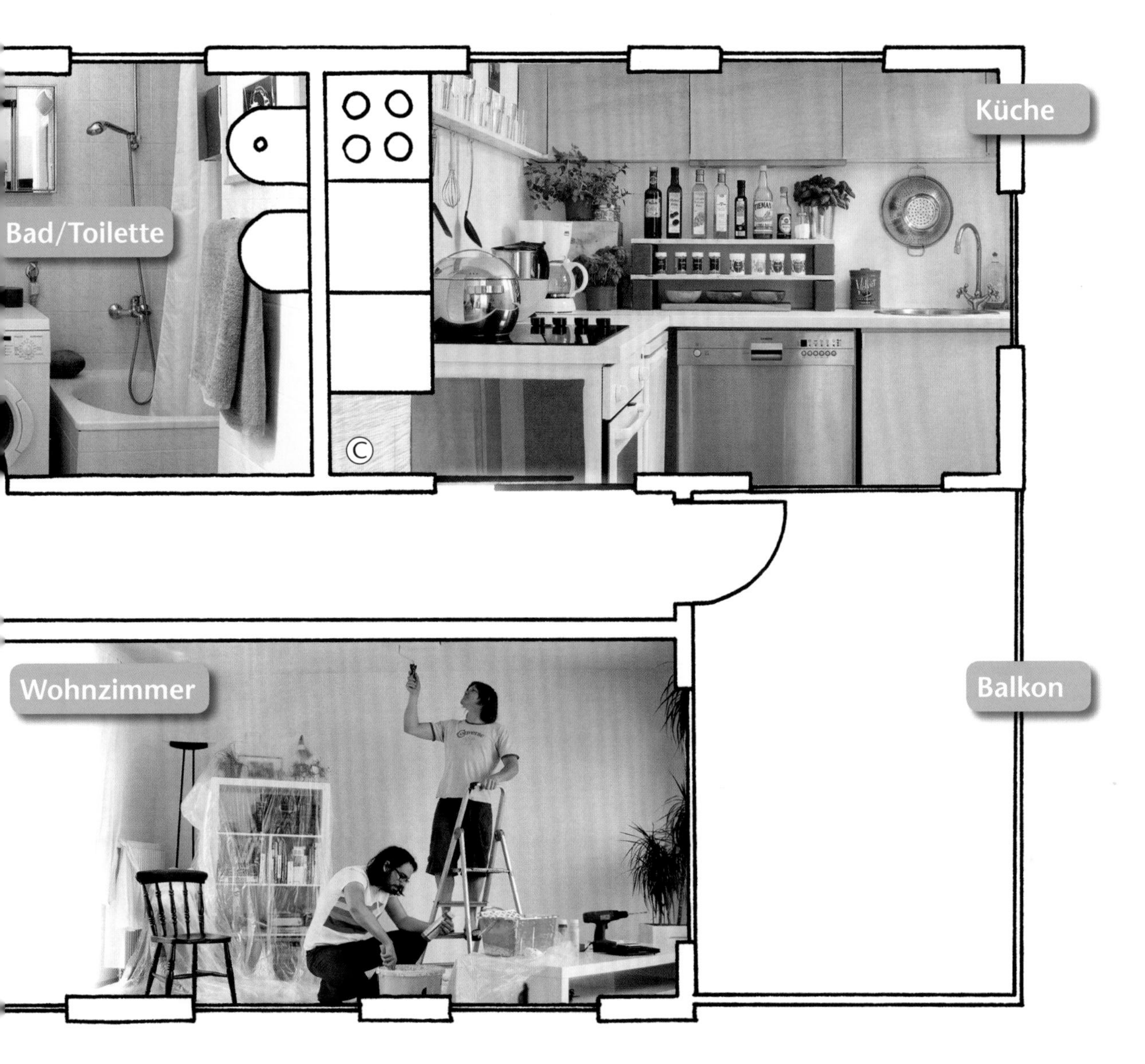

2 Einrichtung

a Sehen Sie die Bilder an. Welche Möbel und Geräte sind in welchem Zimmer?

der Sessel • das Sofa • der Wohnzimmertisch • der Vorhang • das Bücherregal • das Bett • der Teppich • der Schrank • die Stehlampe • der Schreibtisch • der Esstisch • der Stuhl • die Waschmaschine • das Küchenregal • der Herd • das Geschirr: der Teller, die Tasse • das Besteck: das Messer, der Löffel, die Gabel • die Kaffeemaschine • die Mikrowelle • die Spülmaschine • die Badewanne • das Waschbecken • der Tisch • der Toaster • die Dusche

b Kennen Sie weitere Wörter zum Thema „Wohnung"? Sammeln Sie im Kurs.

⊙ 1.34 **c Was brauchen Peter und Tom für die neue Wohnung? Hören Sie zu und notieren Sie.**

Für Peter:	Für Tom:	Für das Wohnzimmer:	Für die Küche:
Bett, Tisch			

3 Peters E-Mail

a Lesen Sie die E-Mail und die Aussagen 1–6. Kreuzen Sie an: richtig oder falsch?

VON: petersvoboda@gtz.de
AN: magdalambert@ak1.com
BETREFF: Wohnung

Liebe Magda,
endlich ist es so weit. Seit zwei Wochen haben Tom und ich die neue Wohnung und ich bin gestern eingezogen. Jetzt renovieren wir das Wohnzimmer und Tom zieht nächste Woche ein. Mein Zimmer hat ca. 18 qm und es ist wirklich schön. Ich habe mein Bett rechts an die Wand gestellt und davor steht ein ganz kleiner Tisch. Den Schreibtisch habe ich links neben das Fenster gestellt. So habe ich immer viel Licht beim Lernen. Auf dem Schreibtisch steht mein Computer. Links an der Wand steht ein Regal. In das Regal stelle ich meinen MP3-Player und ein paar Bücher. Zuerst hatte ich gar keinen Teppich auf den Boden gelegt, aber dann hat mir die Vermieterin einen geschenkt. Sie sagt, man hört die Schritte zu laut, wenn kein Teppich auf dem Boden liegt. (Ach ja!) Tom hat eine Waschmaschine gekauft. Gebraucht natürlich! Die haben wir in die Küche gestellt. Vielleicht kommt sie später ins Bad. Wenn alles fertig ist, machen wir eine Party. Dann kannst du dir alles ansehen. So, und jetzt muss ich Tom helfen. Er tapeziert gerade.

Liebe Grüße
Peter

	R	F
1. Peter und Tom sind in ihre neue Wohnung eingezogen.	☐	☐
2. Peter hat sein Bett unter das Fenster gestellt.	☐	☐
3. Peter arbeitet gern am Fenster, weil es da hell ist.	☐	☐
4. Im Regal stehen Bücher und Peters Fernseher.	☐	☐
5. Peter hat erst später einen Teppich auf den Boden gelegt.	☐	☐
6. Peter und Tom machen bald eine Party.	☐	☐

an die Wand stellen

an der Wand stehen

b Zimmer einrichten – Markieren Sie in der E-Mail alle Ortsangaben (Nomen mit Artikel und Präposition) und das Verb.

Ich habe mein Bett rechts an die Wand gestellt.

c Notieren Sie die Wortgruppen in einer Tabelle.

Wohin → Akkusativ		Wo • Dativ	
an die Wand	stellen	an der Wand	stehen
unter ...			

4 Mäuse in der Küche

a Schreiben Sie die passenden Präpositionen zu den Mäusen.

Präpositionen
mit Akkusativ (wohin →)
oder Dativ (wo •)

an, in, auf, über, unter, hinter, vor, neben, zwischen

b Wo sitzt die Maus? Wohin springt oder läuft sie?

sitzen (D), liegen (D)

Maus 1 sitzt vor dem Kühlschrank.

springen (A), laufen (A)

Maus 4 springt auf den Tisch.

c Verben und Kasus – Ergänzen Sie die Artikel im Akkusativ oder Dativ.

1. Peters Sofa *steht* rechts an ______________ Wand. •
2. Tom will sein Bett links an ______________ Wand *stellen.* →
3. Bei Peter *liegt* ein Teppich auf ______________ Boden. •
4. Tom will keinen Teppich auf ______________ Boden *legen.* →
5. Bei Peter *hängt* ein Poster an ______________ Wand. •
6. Tom will ein paar Bilder an ______________ Wand *hängen.* →
7. Tom *sitzt* gern auf ______________ Sofa. •
8. Peter kann sich nicht in ______________ Sessel *setzen*, aber auf das Bett. →

d Richten Sie das Wohnzimmer auf Seite 53 ein. Arbeiten Sie zu zweit. Berichten Sie.

Sofa – an die Wand

Wir haben das Sofa an die Wand gestellt.

5 Wohnzimmer

⊙ 1.35 **a Hören Sie. Welche Beschreibung passt zu welchem Zimmer?**

b Wie finden Sie die Zimmer? Sprechen Sie im Kurs.

Wie findest du Zimmer B?	☺ Es ist warm und gemütlich. Ich mag Sessel und Sofas.
	☹ Das ist nicht so mein Geschmack. Das ist altmodisch.
Gefällt dir der Teppich?	☺ Den finde ich schön, ☹ aber die Sessel gefallen mir nicht.
Und das Sofa?	☺ Ich mag das Sofa. Die Form ist toll!
	😐 Na ja, es geht. Die Form ist ganz gut.

gemütlich • warm • groß • hell • modern • schön • praktisch • günstig • ordentlich
ungemütlich • kalt • klein • eng • dunkel • altmodisch • hässlich • teuer

Ich finde das Wohnzimmer B gemütlicher als ...

c Beschreiben Sie Ihr Zimmer, Ihre Wohnung oder Ihr Haus. Die Fragen helfen Ihnen.

- Wie groß ist Ihr Zimmer / Ihre Wohnung / Ihr Haus?
- Haben Sie Vorhänge?
- Haben Sie viele Möbel?
- Haben Sie einen Sessel?
- Welche Farben mögen Sie?
- Haben Sie ein Lieblingsmöbelstück?
- Welcher Raum ist für Sie am wichtigsten?
- ...

Ich habe ein Zimmer und eine kleine Küche.

Das Sofa ist auch ein Bett.

6 Aussprache: zwei Buchstaben – ein Laut

⊙ 1.36 **Hören Sie und achten Sie auf die markierten Buchstaben. Sprechen Sie dann.**

Das‿Sofa	Das Sofa ist zu groß!
Mein‿Name	Mein Name steht schon an der Tür.
Regal‿links	Stell das Regal links an die Wand.
Das‿sieht‿toll	Das sieht toll aus!
Kurz‿zusammen	Können wir kurz zusammen sprechen?

7 Wünsche

⊙ 1.37 **a Hören und lesen Sie die Dialoge. Markieren Sie die Formen mit *würde* und *hätte*.**

Dialog 1

● Hallo Julia! Hast du schon deine Traumwohnung?
○ Nein, ich wohne immer noch bei meinen Eltern auf dem Land.
● Wo würdest du denn gern wohnen?
○ Ich würde gern in der Stadt wohnen.
● Was für eine Wohnung suchst du?
○ Ich hätte gern eine kleine Wohnung für mich allein. Am liebsten ein Apartment mitten im Zentrum.

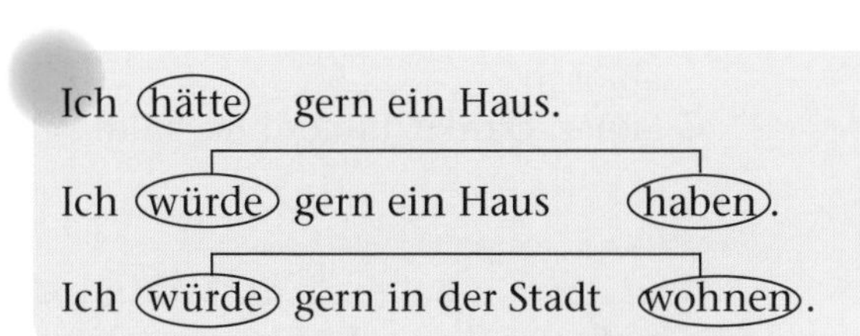

Dialog 2

● Immobilienbüro Geier, guten Tag.
○ Wir hätten gern ein Haus!
● Aha. Was für ein Haus hätten Sie denn gern?
○ Ein Haus mit Garten und Swimmingpool!
● Das ist nicht billig. Können Sie das bezahlen?
○ Nein, aber wir würden gern im Lotto gewinnen.

b Konjunktiv mit *würde*-Form oder *hätte* – Ergänzen Sie die passenden Verbformen.

1. Mein Mann und ich, wir ________ gern eine große Küche.
2. Ich ________ viel lieber auf dem Land leben. Dann ________ ich einen kleinen Garten.
3. Felice ________ gern eine Wohnung im Zentrum, nahe bei der Universität.
4. Ruth und Franco ________ gerne zusammen wohnen, aber sie finden keine Wohnung.
5. ________ du gern zu uns ziehen? In unserer Wohnung ist ein Zimmer frei.

c Wünsche im Alltag – Sammeln Sie im Kurs.

Zeit Geld Auto Garten Arbeitsstelle ...

Ich würde gern weniger arbeiten.

Ich hätte gern ein Auto.

8 Tapezieren

1.38 **a Lesen Sie 1–8 und bringen Sie die Abschnitte in die richtige Reihenfolge. Hören Sie zur Kontrolle.**

4 ☐ ☐ ☐ ☐ ☐ ☐ ☐

①
○ Hoffentlich! Ich renoviere gerade meine neue Wohnung und mache die alten Tapeten ab. Aber das geht nicht! Was kann ich machen?

②
Dann musst du fünf Minuten warten. Danach kannst du die Tapeten langsam ablösen.
○ Super! Danke, Jürgen! Bis bald!

③
Aber davor möchte sie die Wohnung renovieren. Am 1. Mai hat sie frei und die Arbeit beginnt: Sie renoviert das Apartment!

④
Julia Schuler hat über die Zeitung ein kleines Apartment gefunden. Ein Zimmer mit 24 qm, eine kleine Küche und ein Bad mit WC. Am 3. Mai will sie einziehen.

⑤
● Pache!
○ Hallo Jürgen, hier ist Julia. Ich habe ein Problem!
● Erzähl mal, vielleicht kann ich dir helfen.

⑥
● Ach so. Du, da hab ich einen Tipp: Du brauchst einen Eimer Wasser und Geschirrspülmittel. Schütte ein wenig Spülmittel ins Wasser und diese Mischung streichst du auf die Tapete.

⑦
Nach einer Stunde hat sie keine Lust mehr – erst ein Quadratmeter! Sie ruft ihren Bekannten Jürgen an:

⑧
Sie beginnt mit den Tapeten. Die alten sind hässlich und Julia will neu tapezieren. Stück für Stück kratzt sie die alten Tapeten ab. Das ist viel Arbeit und dauert lang.

b Welche Wörter aus den Texten passen zu den Bildern A–D? Notieren Sie.

A der Eimer, das Wasser

c Wie heißt der Tipp von Jürgen? Lesen Sie laut.

9 **Jürgen hat noch mehr Tipps für Julia.**
Lesen Sie die „Heimwerker-Probleme" und die Tipps. Ordnen Sie zu. Die Bilder helfen.

Probleme

Julia möchte ein Loch in die Wand bohren. Aber der Schmutz soll nicht auf den Teppichboden fallen. ①

Julia möchte eine Lampe genau in der Mitte über dem Tisch aufhängen. ②

Julia hat den ganzen Tag gestrichen. Sie ist todmüde – aber sie ist noch nicht fertig und die Pinsel sind voll mit Farbe. ③

Tipps

Lampe genau über dem Tisch befestigen

Stellen Sie eine Taschenlampe genau in die Tischmitte und schalten Sie die Taschenlampe ein. Der Lichtstrahl markiert genau die richtige Stelle. Machen Sie ein kleines Kreuz und bohren Sie das Loch. Ⓐ

Walzen und Pinsel vor dem Eintrocknen schützen

Wickeln Sie die Pinsel in Alufolie. Jetzt trocknen sie nicht ein.
Kühl aufbewahren! Ⓑ

Der lästige Dreck beim Bohren

Wenn Sie einen kleinen Karton oder eine Kaffeefiltertüte mit Tesafilm direkt unter die Bohrstelle kleben, dann fällt der Schmutz genau hinein. Ⓒ

Internet-Tipps:

www.frag-vati.de

www.frag-mutti.de

Projekt
Möbel und Haushaltsgeräte günstig kaufen

Sie haben zu zweit die Wohnung neben Peter und Tom gemietet: 2 Zimmer, Küche, Bad.
Jeder von Ihnen bringt vier Möbelstücke/Haushaltsgeräte mit: Welche? Sammeln Sie.

Den Rest müssen Sie kaufen: Was kaufen Sie?
Sie haben zusammen 800 Euro. Wo können Sie was kaufen? Gebraucht? Neu?

Im Alltag

1 Wohnungen beschreiben

Die Wohnung ist klein. Sie ist nur 45 qm groß.
Ich habe ein Zimmer und eine kleine Küche.
Mein Wohnzimmer ist auch mein Schlafzimmer.
Mein Sofa ist auch ein Bett.

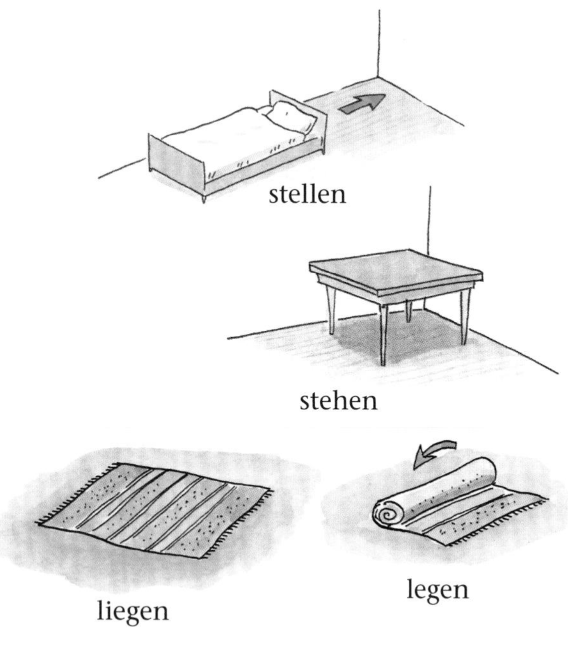

Das Sofa steht links an der Wand.
Vor dem Sofa steht jetzt ein Tisch.
Ich habe das Regal neben die Tür gestellt.
An der Wand hängen Poster.
Zwischen die Poster hänge ich einen Spiegel.
Tom hat ein Bild von Picasso an die Wand gehängt.
Auf dem Boden liegt ein Teppich.
Peter hat einen Teppich auf den Boden gelegt.

2 Über Wohnungen/Einrichtung sprechen

Wie findest du das Wohnzimmer?

Das Wohnzimmer gefällt mir.
Es ist gemütlich/modern/groß/hell/warm.
Das Wohnzimmer gefällt mir nicht.
Es ist ungemütlich / zu modern/klein/kalt ...

Wie findest du den Teppich?

Ich finde ihn sehr schön.
Die Farbe / Die Form ist toll.
Er gefällt mir gut / nicht so sehr.
Das ist nicht so mein Geschmack.

Die Wohnung ist teuer/billig/schön/groß ...

3 Wünsche äußern

Ich hätte gern ein großes Haus.
Ich hätte gern eine Wohnung im Zentrum.
Wir hätten gern einen „Sechser" im Lotto!

Ich würde gern in der Stadt wohnen.
Ich würde lieber weniger arbeiten.
Ich würde gern im Lotto gewinnen.

Im Alltag EXTRA
▶ S. 132

Grammatik

1 Präpositionen mit Akkusativ oder Dativ

Die wichtigsten Präpositionen mit Akkusativ oder Dativ sind:

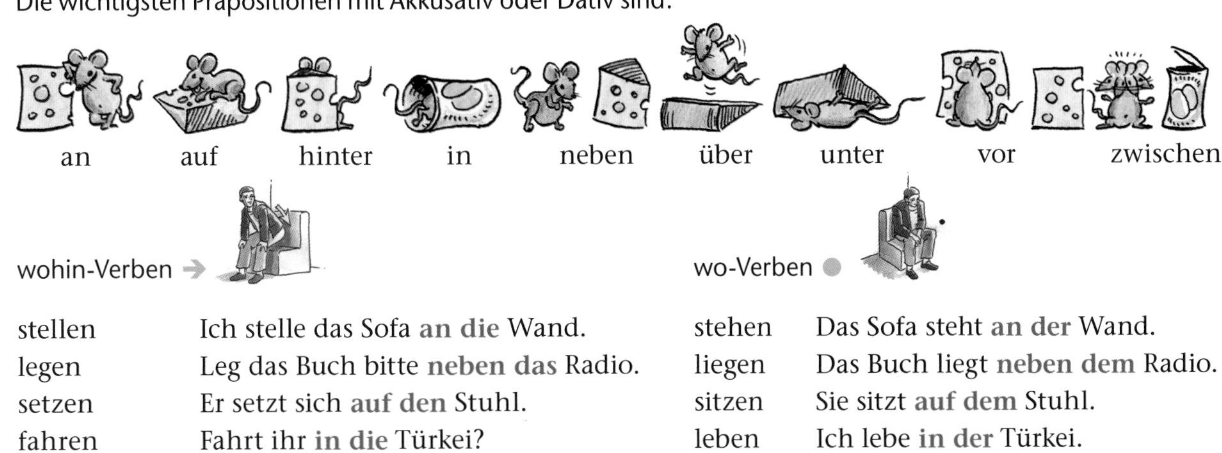

stellen	Ich stelle das Sofa **an die** Wand.	stehen	Das Sofa steht **an der** Wand.
legen	Leg das Buch bitte **neben das** Radio.	liegen	Das Buch liegt **neben dem** Radio.
setzen	Er setzt sich **auf den** Stuhl.	sitzen	Sie sitzt **auf dem** Stuhl.
fahren	Fahrt ihr **in die** Türkei?	leben	Ich lebe **in der** Türkei.
gehen	Der Hund geht **vor die** Tür.	stehen	Der Hund steht **vor der** Tür.
⚠ hängen	Sie hängt ihren Rock **in den** Schrank.	hängen	Mein Kleid hängt **im** Schrank.

2 Konjunktiv mit *würde* + Verb im Infinitiv: Satzklammer

Bei den meisten Verben benutzt man *würde* + Verb im Infinitiv.

	würde (konjugiert)		Verb (Infinitiv)
Ich	würd**e**	gerne in der Stadt	wohnen.
	Würd**est**	du bitte die Musik leiser	machen?
Er	würd**e**	gerne zur Party	kommen, aber er hat keine Zeit.
Wir	würd**en**	gerne im Lotto	gewinnen.
	Würd**et**	ihr uns beim Umzug	helfen?

3 Konjunktiv mit *hätte*

ich	hätte	wir	hätte**n**	Ich hätte gern ein Auto.
du	hätte**st**	ihr	hätte**t**	Hättest du gern ein Schwimmbad im Haus?
er/es/sie	hätte	sie/Sie	hätte**n**	Wir hätten gern mehr Zeit für unsere Hobbys.

Die Verbendungen sind wie beim Präteritum von *haben: hatte, hattest ...*

Aussprache

Zwei Buchstaben – ein Laut

Sie lesen **zwei gleiche Buchstaben**.

Mein Name steht schon an der Tür.
Das sieht toll aus!

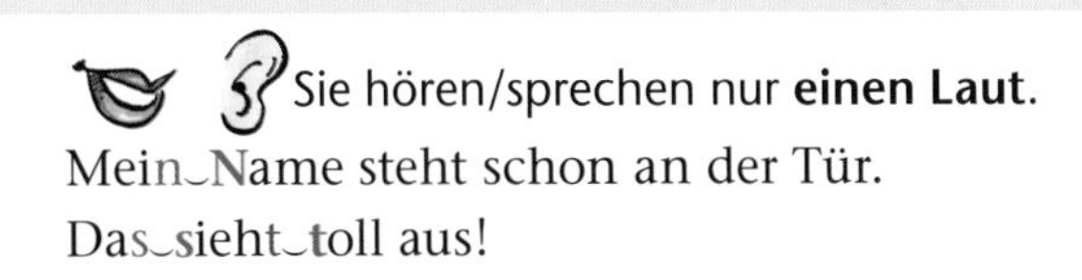

Sie hören/sprechen nur **einen Laut**.

Mein‿Name steht schon an der Tür.
Das‿sieht‿toll aus!

18 Mobil in der Stadt

Lernziele
- über Vor- und Nachteile von Verkehrsmitteln sprechen
- Bedingungen nennen
- sagen, was man (nicht) gern tut
- sagen, was man immer/selten … tut
- Verkehrsregeln verstehen

1 Verkehrsmittel

a Welche Ausdrücke passen zu den Fotos? Notieren Sie.

einen Platten haben • einen Helm tragen • eine Monatskarte haben • zur Tankstelle fahren • eine Fahrkarte kaufen • den Führerschein haben • im Parkhaus parken • den Fahrplan lesen • einen Parkschein ziehen • an der Haltestelle warten • zum Bahnsteig gehen • einen Strafzettel bekommen • einen/keinen Parkplatz finden • bei der nächsten Station aussteigen • pünktlich kommen • den Radweg benutzen • tanken • bremsen • abbiegen • anhalten • falsch parken

Bild F: Fahrrad, einen Platten haben, pünktlich kommen …

1.39

b Lesen Sie 1–6 und hören Sie zu. Was passt zu Text A, B oder C? Kreuzen Sie an.

1. Ich habe einen Fahrradanhänger für meine Tochter. [A] [B] [C]
2. Ich kann mir aussuchen, wann ich mein Auto benutze. [A] [B] [C]
3. Fahrradfahren ist bei uns nicht gefährlich. [A] [B] [C]
4. Ich fahre das ganze Jahr mit dem Auto. [A] [B] [C]
5. Wenn es warm ist, fahre ich Motorrad. [A] [B] [C]
6. Die Kosten für das Benzin sind kein Problem für mich. [A] [B] [C]

c Welche Verkehrsmittel benutzen Sie?

Wenn ich zur Arbeit fahre, benutze ich immer die Straßenbahn.
Wenn ich einkaufen muss, nehme ich das Auto, aber auf den Markt gehe ich immer zu Fuß.
Wenn …
Im Winter fahre ich meistens/oft/selten …
Ich fahre (nicht) gern Fahrrad, weil …
Ich weiß, dass …, aber …

d Welche Verkehrsmittel gibt es in Ihrem Heimatland? Berichten Sie im Kurs.

2 Mobilität

a Lesen Sie. Welche Verkehrsmittel benutzen diese Personen?

	P. Schulze	M. Kuse	J. Kirchner
(fast) immer	Bus/U-Bahn		
oft/meistens			
(sehr) selten	Auto		
(fast) nie			

Ⓐ Paula Schulze (28)
Natürlich haben wir ein Auto, sogar ein ziemlich großes! Aber ich fahre seit ungefähr drei Jahren fast nur mit öffentlichen Verkehrsmitteln, mit dem Bus oder der U-Bahn. Parkplatz suchen, mindestens drei Strafzettel im Monat, die hohen Benzinkosten, im Stau stehen ... Das gefällt mir alles nicht mehr. Deshalb steht das Auto eigentlich immer in der Garage. Mit dem Fahrradfahren bin ich in der Stadt vorsichtig und trage immer einen Helm. Vor zwei Jahren hatte ich einen schweren Unfall. Zum Glück hat mir mein Helm das Leben gerettet, aber seitdem habe ich Angst.

Ⓑ Margot Kuse (48)
Vor 30 Jahren habe ich zwar meinen Führerschein gemacht, aber Auto fahre ich nie. Früher hatte ich kein Geld für ein Auto. Deshalb bin ich immer mit dem Fahrrad gefahren. Und jetzt habe ich mich daran gewöhnt. Ich bin fast 50 Jahre alt und will fit bleiben. Auch deshalb fahre ich immer Fahrrad. Morgens fahre ich damit zur Arbeit, danach gehe ich einkaufen. Ich benutze es auch, wenn ich Freunde besuchen will oder zum Sport fahre. Ich habe zwei Fahrräder, wenn mal eins einen Platten hat. Im Winter ist es manchmal hart. Wenn es regnet, nehme ich fast immer die Straßenbahn. Und in den Urlaub fahre ich mit dem Zug, aber meistens nehme ich mein Fahrrad mit.

Ⓒ Janek Kirchner (38)
Meine Frau und ich wohnen mit unserer Tochter Meike und meinen Eltern in einem Haus auf dem Land. Bis jetzt haben wir drei Autos, aber in zwei Monaten macht Meike ihren Führerschein und dann will sie ein gebrauchtes Auto kaufen. Es kann billig und alt sein – Hauptsache, es fährt. Mein Arbeitsplatz ist fast 20 km von meinem Wohnort entfernt, deshalb brauche ich ein Auto und meine Frau will unabhängig sein. Meine Eltern finden ein Auto einfach bequem: einkaufen, Arztbesuche, Bekannte besuchen – das alles ist mit dem Auto einfacher als mit dem Bus. Natürlich sind Autos teuer. Deshalb arbeiten wir beide. Wir haben zwar auch alle Fahrräder, aber wir benutzen sie selten. Im Sommer machen wir manchmal eine Radtour, aber nicht sehr oft.

b Lesen Sie noch einmal und kreuzen Sie an: richtig oder falsch?

	R	F
1. Paula Schulze sagt, dass Autofahren viele Nachteile hat.	☐	☐
2. Wenn sie mit dem Fahrrad fährt, hat sie einen Helm auf.	☐	☐
3. Margot Kuse darf Auto fahren.	☐	☐
4. Im Urlaub bleibt das Fahrrad zu Hause.	☐	☐
5. Janek Kirchner braucht ein Auto.	☐	☐
6. Seine Eltern brauchen ein Auto, weil sie krank sind.	☐	☐

3 Auto/Fahrrad/Bus … – Vorteile und Nachteile

a Notieren Sie Stichworte aus den Texten auf Seite 64. Arbeiten Sie zu zweit.

	Vorteile	Nachteile
Auto		
Fahrrad		
Bus/Straßenbahn		

b Gibt es noch andere Vorteile und Nachteile? Sprechen Sie im Kurs.

Die Straßenbahn hat den Nachteil, dass …

Aber das Fahrrad hat den Vorteil, dass …

Ein Problem bei Bussen ist, dass …

Das finde ich auch.

Autos haben den Vorteil, dass man unabhängig ist.

Das sehe ich anders.

Das finde ich nicht.

Du hast recht.

1.40 **c Frau Fritsche – Hören Sie zu und kreuzen Sie an: richtig oder falsch?**

	R	F
1. Frau Fritsche wohnt nicht in der Stadt.	☐	☐
2. Sie fährt nie mit dem Auto zur Schule.	☐	☐
3. Zum Einkaufen in der Stadt benutzt sie öffentliche Verkehrsmittel.	☐	☐
4. Es gibt im Ort keine breiten Straßen.	☐	☐
5. Das Fahrrad benutzt sie nie.	☐	☐

4 Konsequenzen: *deshalb*

Lesen Sie das Beispiel und schreiben Sie dann Sätze mit *deshalb*.
Es gibt mehrere Möglichkeiten.

Hauptsatz	Hauptsatz
Sie will fit bleiben.	Sie fährt immer Fahrrad.
Sie will fit bleiben,	deshalb fährt sie immer Fahrrad.

1. Es regnet heute.
2. Autofahren ist teuer.
3. Sie will fit bleiben.
4. Sein Arbeitsplatz ist 20 km entfernt.
5. Die Benzinkosten sind hoch.
6. Sie sind alt.
7. Es ist zu kalt.
8. Ich wohne im Stadtzentrum.

a) Seine Frau arbeitet auch.
b) Das Auto steht in der Garage.
c) Sie fährt mit der Straßenbahn.
d) Sie fährt immer Fahrrad.
e) Er braucht ein Auto.
f) Ich fahre nicht mit dem Motorrad.
g) Ich brauche kein Auto.
h) Sie fahren nicht mehr Fahrrad.

5 Aussprache: viele Konsonanten

⊙ 1.41 **a Hören Sie und sprechen Sie leise mit.**

1. sechs Strafzettel • falsch parken • keinen Parkplatz finden • Parkplatzprobleme haben • einen Helm tragen • einen Kindersitz brauchen • eine Tankstelle

2.

sechs	Strafzettel	Letzten Monat hatte ich sechs‿Strafzettel.
nächste‿Station	aussteigen	Sie müssen an der nächsten‿Station‿aussteigen.
Parkplatz	Probleme	Hier gibt's immer Parkplatzprobleme.

> **TIPP** Sie müssen jeden Laut sprechen. Üben Sie zuerst langsam, dann normal/schnell.

b Üben Sie zu zweit.

6 Autowerkstatt

a Was passiert hier? Schauen Sie die Bilder an und ordnen Sie zu.

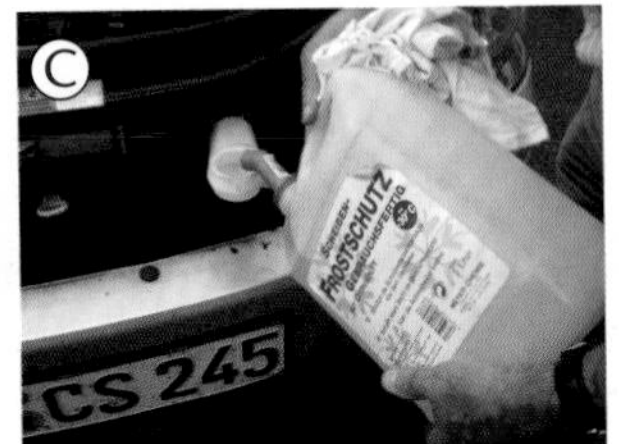

1. Die Reifen werden gewechselt. ______
2. Das Licht wird kontrolliert. ______
3. Der Ölwechsel wird gemacht. ______
4. Das Frostschutzmittel wird aufgefüllt. ______
5. Die Bremsen werden überprüft. ______
6. Das Auto wird gereinigt. ______

⊙ 1.42 **b Hören Sie. Was ist passiert?**

c Hören Sie noch einmal. Was wird in der Werkstatt gemacht? Was wurde beim Wintercheck gemacht? Kreuzen Sie an.

1. Was wird kontrolliert/geprüft?

- ☐ die Reifen
- ☐ das Licht
- ☐ die Elektronik
- ☐ die Batterie
- ☐ die Bremsen
- ☐ der Motor

2. Beim Wintercheck ...

- ☐ die Reifen wechseln
- ☐ das Frostschutzmittel nachfüllen
- ☐ die Batterie überprüfen
- ☐ den Ölwechsel machen
- ☐ das Auto gründlich waschen
- ☐ das Auto volltanken
- ☐ die Lichter kontrollieren

7 Inspektion

a Sammeln Sie Sätze aus Aufgabe 6 und schreiben Sie wie im Beispiel.

	werden	Partizip II
Die Reifen	werden	gewechselt.
Die Elektronik	wird	geprüft.
...		

Passiv: *werden* + Partizip II

Präsens
Das Auto **wird repariert**.

Präteritum
Das Auto **wurde repariert**.

b Was wurde beim Wintercheck gemacht? Schreiben Sie und vergleichen Sie im Kurs.

	werden	Partizip II
Die Reifen	wurden	gewechselt.
Das Frostschutzmittel	wurde	nachgefüllt.
...		

c An der Tankstelle – Schreiben Sie Sätze im Passiv.

das Auto (volltanken) • die Luft (prüfen) • das Auto innen (saugen) • die Scheiben (reinigen) • das Öl (kontrollieren) • das Licht (testen) • die Rechnung (bezahlen) • die Scheibenwischer (wechseln) ...

8 Etwas machen lassen

Was machen Sie selbst? Was lassen Sie machen? Sammeln Sie im Kurs und sprechen Sie.

Was machst du selbst?	Was lässt du machen? Was macht jemand für dich?
Fahrrad putzen	Fahrrad reparieren

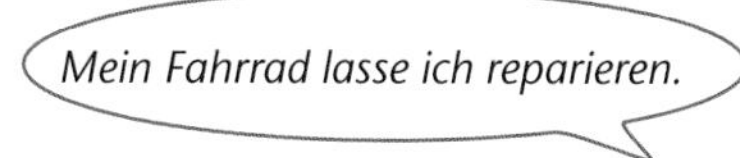

Projekt: Gebrauchtwagen

a Lesen Sie die Anzeigen. Welche Informationen können Sie erraten? Welche möchten Sie erfragen?

Passat Variant Trendline 1,8 Klima, 92 kw, EZ 04/99, 127.800 km, blau metallic, Benzin, Sportsitze, Lederlenkrad, Bordcomputer UMFA), ZV mit Funk, TÜV 1 J, 3.350 Euro VHB. Tel.: 35221

Focus 1.4 16V Trend (Klima) 59 kw, EZ 06/2006, 24.000 km Silbermetallic, aus 1. Hand, Klimaanlage, Servolenkung, EURO-Plus Garantie, Schaltgetriebe, Radio/CD-System EUR 8.950 Tel.: 546451

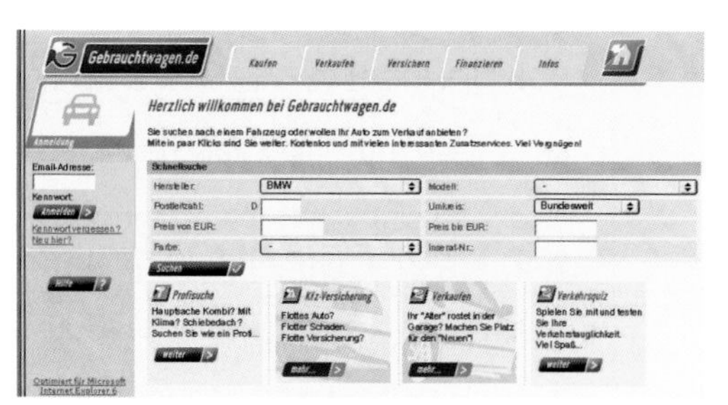

b Ihr Wunschauto – Machen Sie Notizen und suchen Sie passende Autos in der Zeitung.

9 Führerscheinprüfung: Theorie

a Lesen Sie zuerst die Fragen. Schlagen Sie unbekannte Wörter nach.

b Kreuzen Sie an (Mehrfachlösungen sind möglich).

c Vergleichen Sie mit den Lösungen auf Seite 69.

1. Wie müssen Sie sich verhalten?

a ☐ Die Kinder genau beobachten und vorsichtig vorbeifahren.

b ☐ Die Kinder nicht weiter beachten, weil sie auf dem Gehweg sind.

2. Worauf müssen Sie sich einstellen?

a ☐ Fußgänger wechseln häufig die Straßenseite.

b ☐ Parkende Fahrzeuge erschweren die Sicht.

c ☐ Fußgänger betreten manchmal unachtsam die Fahrbahn.

3. Worauf müssen Sie sich bei diesem Verkehrszeichen einstellen?
Darauf, dass

a ☐ auf der Fahrbahn Wintersport betrieben wird.

b ☐ auf der Fahrbahn Schnee oder Eisglätte herrscht.

c ☐ Wintersport nur auf den Gehwegen stattfindet.

4. Wer darf auf dieser Straße mit einem Kraftfahrzeug fahren?

a ☐ Wer etwas einkaufen will.

b ☐ Wer Waren liefern muss.

c ☐ Wer jemanden besuchen will.

Liefer-
verkehr
frei

5. Welches Verhalten ist richtig?

a ☐ Ich muss warten.

b ☐ Der Fahrradfahrer muss warten.

6. Welches Verhalten ist richtig?

a ☐ Ich muss den Traktor vorbeilassen.

b ☐ Ich darf vor der Straßenbahn abbiegen.

c ☐ Ich muss die Straßenbahn vorbeilassen.

7. Welches Verhalten ist richtig?

a ☐ Ich muss den blauen Lastwagen durchfahren lassen.

b ☐ Der Traktor muss mich durchfahren lassen.

c ☐ Ich muss den Traktor abbiegen lassen.

10 Wichtige Verkehrszeichen

a Ordnen Sie die Sätze zu. Es gibt zum Teil mehrere Möglichkeiten.

1. ______ Hier darf man mit dem Fahrrad fahren.
2. ______ Hier müssen Sie langsam fahren. 40 km/h ist zu schnell.
3. ______ Wenn Sie hier parken möchten, müssen Sie eine Parkscheibe benutzen.
4. ______ Fahren Sie langsam! Hier spielen Kinder auf der Straße.
5. ______ Achtung! Es kommt eine Baustelle.
6. ______ In diese Straße dürfen Sie nicht fahren.
7. ______ Hier dürfen Sie parken.
8. ______ Hier müssen Sie rechts abbiegen.
9. ______ Hier dürfen Sie nicht parken und nicht anhalten.
10. ______ Dieser Weg ist für Fußgänger und Fahrradfahrer, nicht für Pkw.
11. ______ Diese Straße ist blockiert. Das Schild zeigt Ihnen einen anderen Weg.
12. ______ Sie dürfen nur in eine Richtung fahren.
13. ______ Achtung! Hier müssen Sie langsam fahren. Vielleicht möchten Fußgänger über die Straße.
14. ______ Hier dürfen Sie nur mit einer Umweltplakette fahren.
15. ______ Hier dürfen Sie nicht überholen.

⊙ 1.43 **b Hören Sie den Dialog. Welche Schilder passen dazu?**

1a • 2abc • 3ab • 4b • 5a • 6c • 7ac

Im Alltag

1 Über Verkehrsmittel sprechen

Wenn ich zur Arbeit fahre, benutze ich immer die Straßenbahn.
Wenn ich einkaufen muss, nehme ich das Auto, aber auf den Markt gehe ich immer zu Fuß.
Im Winter fahre ich meistens/oft/selten ...
Ich fahre (nicht) gern Fahrrad, weil ...

2 Über Vorteile und Nachteile sprechen

Am Auto finde ich gut, dass man ...
Aber das Fahrrad hat den Vorteil, dass ...
Die Straßenbahn hat den Nachteil, dass ...
Ein Problem bei Bussen ist, dass ...
Stimmt, das ist ein Vorteil/Nachteil.

Du hast recht. – Das sehe ich anders.
Das finde ich auch. – Das finde ich nicht.

3 Sagen, was man immer/selten/nie tut

(fast) immer	Fährst du immer mit dem Fahrrad zur Schule?	Ja, auch wenn es regnet.
(sehr) oft		Nicht immer, aber sehr oft.
häufig		Ja, schon, aber häufig fahre ich auch mit dem Bus.
meistens		Nein, meistens nehme ich die Straßenbahn.
(sehr) selten		Nein, sehr selten, meistens gehe ich zu Fuß.
(fast) nie		Nein, fast nie, ich gehe fast immer zu Fuß.

4 Infos rund um den Führerschein

Den Führerschein in Deutschland machen ...

Vorraussetzungen:	17 oder 18 Jahre, Sehtest, Erste-Hilfe-Schein
Fahrstunden:	Stadt-, Überland-, Autobahn-, Nachtfahrt
Prüfung:	Theorie, praktische Fahrprüfung
Probezeit:	zwei Jahre
Fahrausweis:	Gültigkeit unbegrenzt
Führerscheinklassen:	Es gibt 16 Klassen, von Moped bis Lastwagen. Mit der Klasse B dürfen Sie einen Pkw oder einen Kleinlaster mit bis zu 3500 kg Gesamtgewicht und bis zu 8 Personen fahren.

Ausländische Führerscheine

Ausländische Führerscheine gelten meistens bis zu drei Monaten. Danach muss man den deutschen Führerschein beantragen oder neu machen. Man braucht in den meisten Fällen einen internationalen Führerschein.

▶ S. 134

TIPP Infos bekommen Sie bei Ihrer Führerscheinstelle: *www.das-kfz-portal.de/fuehrerscheinstellen*

Grammatik

1 Konsequenzen angeben: *deshalb*

Hauptsatz	Konsequenz (Folge) → Hauptsatz
Das Fahrrad (hat) einen Platten,	**deshalb** (kommt) sie mit dem Bus.

Für *deshalb* kann man auch *daher, deswegen* oder *darum* sagen.

2 Das Verb *werden* – Präsens und Präteritum

ich	werde	wurde	wir	werden	wurden
du	**wirst**	wurdest	ihr	werdet	wurdet
er/es/sie	**wird**	wurde	sie/Sie	werden	wurden

Früher wurden an Tankstellen Autos repariert. Heute wird nur noch getankt und eingekauft.

3 Aktiv und Passiv: Gebrauch

Wenn wichtig ist, **wer** etwas macht, nimmt man das **Aktiv**.
Mein Freund repariert unser Auto. **Wer** repariert unser Auto? **Mein Freund**.

Wenn wichtig ist, **was** gemacht wird, nimmt man das **Passiv**.
Unser Auto wird repariert. **Was** wird repariert? **Unser Auto**.

Satzklammer

		werden		Partizip II
Präsens	Mein Auto	(wird)	heute in der Werkstatt	(repariert).
Präteritum	Die Reifen	(wurden)		(gewechselt).

4 Das Verb *lassen*

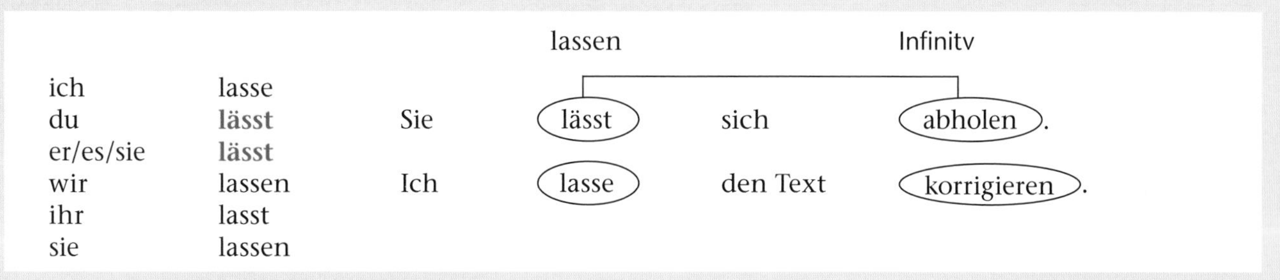

			lassen		Infinitv
ich	lasse				
du	**lässt**	Sie	(lässt)	sich	(abholen).
er/es/sie	**lässt**				
wir	lassen	Ich	(lasse)	den Text	(korrigieren).
ihr	lasst				
sie	lassen				

Aussprache

Konsonantenverbindungen

am Anfang	in der Mitte	bei Komposita	am Ende	an einer Wortgrenze
ein **Str**afzettel	ein Par**ksch**ein	Parkpla**tzpr**obleme	sie benu**tzt**	se**chs St**ationen

TIPP Sprechen Sie schwierige Wörter langsam. Sprechen Sie jeden Laut!

1 Wiederholungsspiel – Drei in einer Reihe

Sie können das Spiel zu zweit oder zu viert (in zwei Gruppen) spielen.

1. Legen Sie eine Münze auf ein Feld: gelb, grün oder blau.
2. Das andere Team wählt eine Aufgabe aus: gelb, grün oder blau.
3. Wenn Sie die Aufgabe lösen, dann kann Ihre Münze liegen bleiben und Sie spielen weiter.
4. Wenn nicht, dann müssen Sie die Münze wieder wegnehmen und das andere Team spielt weiter.
5. Wer drei Münzen in einer Reihe hat, bekommt einen Punkt.
6. Wer zuerst fünf Punkte hat, hat gewonnen.

Aufgaben

1. Thema „Verkehr“: acht Wörter
2. Thema „Lebensmittel“: zehn Wörter
3. Nennen Sie ein passendes Verb: *Auto ... – zu Fuß ... – ein Fest ... – Kaffee ...*
4. Sprechen Sie die Zahlen: 135 – 2.365 – 11.111 – 234.690 – 8.000.000
5. Thema „Wohnen“: zehn Wörter
6. Schule in Deutschland: Nennen Sie zwei Schularten.
7. Nennen Sie vier Verkehrsmittel (private und öffentliche).
8. Ergänzen Sie Adjektive: *Das Sofa ist ... – Der Tisch ist ... – Designermöbel sind ...*
9. Nennen Sie zwei deutsche Schulabschlüsse.
10. Was haben Sie gestern gemacht und was machen Sie morgen? Nennen Sie je zwei Tätigkeiten.

1. Ihre Meinung zum Thema „Schule“: *Ich finde, dass ...*
2. Wie viele Jahre geht man zur Realschule?
3. Ergänzen Sie: *Schule muss Spaß machen, weil ...*
4. Ergänzen Sie: *Beim Lernen ist wichtig, dass ...*
5. Ergänzen Sie: *Wenn der Deutschkurs zu Ende ist, ...*
6. Ergänzen Sie: *Sie setzt sich ... den Stuhl. Er sitzt ... ... Stuhl. Meine Jacke hängt ... Schrank.*
7. Beschreiben Sie eine Person aus Ihrem Kurs (drei Informationen).
8. Beschreiben Sie einen Raum in Ihrer Wohnung / Ihrem Haus.
9. Im Bahnhof – Fragen Sie: Preis / Berlin–Dresden?
10. Beschreiben Sie ein Mitglied von Ihrer Familie (vier Informationen).
11. Ergänzen Sie: *Ein/e ... ist ein praktisches Geschenk, weil ...*
12. Ergänzen Sie: *Ich trage gern ..., weil ...*
13. Eine Wohnungsanzeige: Was bedeuten die Abkürzungen *3 ZKB, 76 qm, 600,– € + NK*?
14. Welche Verkehrsmittel benutzen Sie auf dem Weg zum Kurs? Warum?
15. Sie haben eine Woche Zeit und viel Geld für einen Urlaub. Was machen Sie? Warum?

1. Thema „Schule“ – Geben Sie je eine Information: 1. Schulzeit, 2. Abschlüsse, 3. nach der Schule
2. Warum sind Fremdsprachen wichtig?
3. Beschreiben Sie Ihre Traumwohnung.
4. Fahrrad, Auto, Bus/Straßenbahn ... – Was sind die Vorteile und Nachteile?
5. Beschreiben Sie ein Fest in Ihrem Land: Name, Datum, Essen, Getränke, Geschenke, Musik ...
6. Wie ist das Wetter im Moment? Schauen Sie aus dem Fenster und beschreiben Sie, was Sie sehen.
7. Was ist/war Ihr Traumberuf? Warum?
8. Wählen Sie: Deutschland / Ihr Land /... – Was macht das Leben leicht? Was macht es schwer?
9. Welche Jahreszeit mögen Sie besonders gern? Warum?
10. Ein Geschenk für Ihre Mitspielerin / Ihren Mitspieler: Was schenken Sie ihr/ihm? Warum?

② Die Reise ins Dreiländereck

„Eaawiiin!“
Herr Söderbaum heißt Erwin. Aber wenn Frau Söderbaum aufgeregt ist, ruft sie immer „Eaawiiin!“.
„Eaawiiin, kommst du mal?“
Herr Söderbaum legt die Zeitung weg, sucht seine Hausschuhe und geht in die Küche.
„Was gibt's, Elfriede?“
„Eaawiiin, schau mal. Was ist das?“
„Was denn?“
„Hier, das war heute in der Post.“
Erwin Söderbaum liest den Brief:

Herzlichen Glückwunsch! – Sie haben gewonnen!

Liebe Familie Söderbaum, die Mölnex AG gratuliert.

Sie gehören zu den glücklichen Gewinnern unseres Mölnex-Knusperchips-Preisausschreibens!
Eine Wochenendreise für vier Personen mit Werksbesichtigung der Mölnex AG
in Friedrichshafen und 100 Packungen Mölnex-Knusperchips!

Herr Söderbaum schaut seine Frau an.
„Ich mag das Zeug überhaupt nicht. Das klebt immer an den Zähnen und man kriegt Durst davon ... Wo ist eigentlich Friedrichshafen? In Sachsen?“
„Das ist doch egal. Hauptsache Ferien! Mal raus hier! Lies mal fertig.“
„... Bitte setzen Sie sich mit unserem Mitarbeiter Urs König, Tel. 07541–6833286, in Verbindung. Vorwahl null sieben, das muss in Sachsen sein ...“
„Quatsch! Null sieben ist im Süden. Friedrichshafen liegt am Bodensee. Klasse! Ruf doch gleich mal an!“
„Jetzt noch? Die haben bestimmt schon Feierabend. Das mach ich morgen im Büro.“
„Eaawiiin!“
„O. k., o. k., ich mach schon.“

a Notieren Sie zu 1–5 die passenden Wörter aus dem Text.

Familie Söderbaum hat an einem ① teilgenommen. Sie hat eine ② an den ③ gewonnen. Herr Söderbaum mag keine ④. Aber seine Frau will, dass er sofort Herrn ⑤ anruft.

⊙ 1.44 **b Telefongespräch – Hören Sie zu und kreuzen Sie an: richtig oder falsch?**

	R	F
1. Die Festspiele sind in Friedrichshafen.	☐	☐
2. Der „Säntis“ ist ein Berg im Appenzeller Land in der Schweiz.	☐	☐
3. Im Parkhotel gibt es mittags ein Vier-Gänge-Menü.	☐	☐
4. Am Sonntag machen Söderbaums einen Zeppelin-Rundflug.	☐	☐
5. Am Samstag fahren sie von Deutschland in die Schweiz und nach Österreich.	☐	☐

c Hören Sie das Telefongespräch noch einmal. Notieren Sie das Programm.

Freitag Bundesbahn, 1. Klasse
Samstag
Sonntag

d Was sagt Herr Söderbaum seiner Frau? Spielen Sie.

1. Er ist begeistert. 2. Er hat keine Lust auf die Reise.

Felix Söderbaum, 14, kommt vom Training nach Hause.
Seine Mutter öffnet die Haustür und nimmt ihren Sohn in die Arme.
„Felix! Schatz! Wir haben gewonnen! Beim Preisausschreiben der Chipsfirma ..."
„Wir? – **Ich** hab gewonnen!"
„Wie bitte?"
„**Ich** hab gewonnen. Alle aus unserer Klasse haben mitgemacht. Und wer gewinnt, nimmt seine drei besten Freunde mit. Klasse! Ich muss gleich Sven und Olli und Lutz anrufen."
Felix rennt in sein Zimmer. Seine Eltern schauen ihm ratlos hinterher.
„Guten Abend zusammen!"
„Hallo, Elfi. Wie war's beim Babysitten?"
„Schon o. k. Ist Post für mich da?"
„Von Mölnex-Knusperchips?", fragen beide Eltern gleichzeitig.
„Genau! Ich hab mit der Clique beim Preisausschreiben mitgemacht und wenn wir gewinnen ..."

e Wählen Sie einen Schluss der Geschichte.

1. Die Familie streitet sich heftig und niemand fährt. Seit diesem Tag darf keiner mehr Knusperchips essen oder den Namen der Firma Mölnex nennen.
2. Alle reden miteinander und fahren zusammen an den Bodensee. Die 100 Packungen Knusperchips teilen sich Felix und Elfi für ihre Freunde.
3. Felix und Elfi haben beim Preisausschreiben mitgemacht. Sie machen ein Würfelspiel und wer gewinnt, fährt mit seinen Freunden und Freundinnen.
4. ...

Effektiv lernen

Briefe oder E-Mails schreiben kann man systematisch üben. Hier sind drei Schritte.

Vor dem Schreiben

1. Fragen Sie sich zuerst: Was will ich tun? Eine Einladung/Gratulation/Entschuldigung schreiben, einen Brief beantworten ...?
2. Sammeln Sie Wörter und Sätze auf Deutsch. Das Wörterbuch kann helfen.
3. Überlegen Sie: Gibt es irgendwo ein Beispiel/Modell für meinen Text?
4. Ordnen Sie Ihre Stichwörter: Anfang – Mitte – Ende.

Beim Schreiben

- Schreiben Sie kurze, einfache Sätze.
- Machen Sie Abschnitte.
- Brief? Vergessen Sie nicht das Datum, die Anrede und den Gruß am Ende.

Nach dem Schreiben

Lesen Sie den Text dreimal durch:
1. Habe ich alles gesagt?
2. Stehen die Verben richtig? Stimmen die Zeiten (Präsens/Perfekt/Präteritum) und die Endungen?
3. Stimmt die Rechtschreibung: groß/klein?

Eine deutsche Freundin hat Ihnen geschrieben.

Beantworten Sie den Brief. Kontrollieren Sie Ihre Briefe im Kurs.

Hamburg, 18. Mai

Liebe/r ...,

jetzt hast du lange nichts mehr von mir gehört. Aber ich habe ziemlich lange nach einer neuen Wohnung gesucht. Endlich habe ich eine 2-Zimmer-Wohnung gefunden und ich bin umgezogen!
Am 20. Juni mache ich eine große Party! Du kommst doch?
Und wie geht es dir? Was macht dein Deutschkurs? Hast du schon neue Leute kennengelernt?
Schreib mir bitte bald.

Alles Liebe,
deine Ilona

VIDEO

Teil 1 – Die neue Wohnung

In der E-Mail von Felice sind drei Fehler. Sehen Sie das Video an und korrigieren Sie.

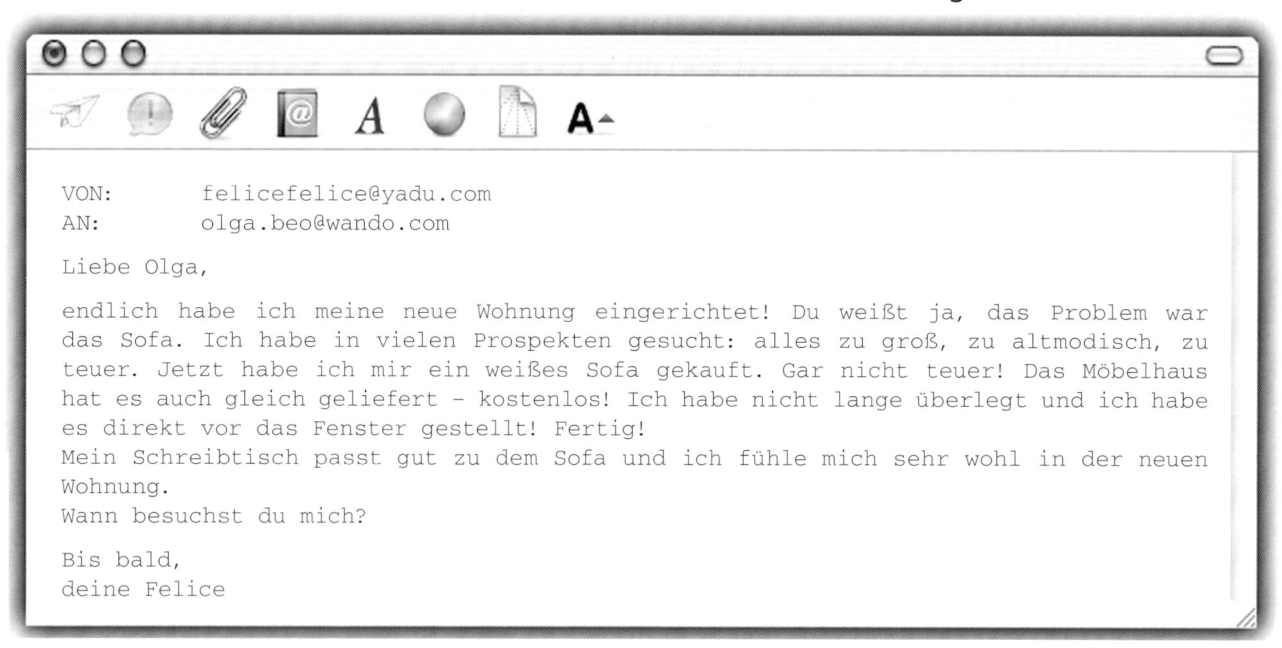

VON: felicefelice@yadu.com
AN: olga.beo@wando.com

Liebe Olga,

endlich habe ich meine neue Wohnung eingerichtet! Du weißt ja, das Problem war das Sofa. Ich habe in vielen Prospekten gesucht: alles zu groß, zu altmodisch, zu teuer. Jetzt habe ich mir ein weißes Sofa gekauft. Gar nicht teuer! Das Möbelhaus hat es auch gleich geliefert - kostenlos! Ich habe nicht lange überlegt und ich habe es direkt vor das Fenster gestellt! Fertig!
Mein Schreibtisch passt gut zu dem Sofa und ich fühle mich sehr wohl in der neuen Wohnung.
Wann besuchst du mich?

Bis bald,
deine Felice

Teil 2 – Der Autokauf

a Welches Auto verkauft Herr Siebert? Vergleichen Sie mit dem Video.

Ⓐ
VW Polo
Farbe: grün, Baujahr: 1998, VB: 3.000,–, TÜV neu! Extras: Schiebedach

Ⓑ
VW Golf
Farbe: blau, Baujahr: 1994 VB: 1.200,–, TÜV: 2 Jahre Extras: Winterreifen

Ⓒ
VW Golf
Farbe: schwarz, Baujahr: 2000, VB: 4.800,–, TÜV: 1 Jahr, Extras: keine

b Kreuzen Sie an: richtig oder falsch?

	R	F
1. Sie machen sofort einen Kaufvertrag.	☐	☐
2. Sie machen eine Probefahrt.	☐	☐
3. Die Frau kauft das Auto nicht.	☐	☐
4. Sie kauft das Auto mit Winterreifen.	☐	☐
5. Sie zahlt 2100 € mit Winterreifen.	☐	☐

Was kann ich schon?

Machen Sie die Aufgaben 1–8 und kontrollieren Sie im Kurs.

1. Wie ist die richtige Reihenfolge?

   Gymnasium • Kindergarten • Abitur • Grundschule • Universität

2. Über Zukunftspläne sprechen

   – In einer Woche ...
   – In einem Jahr ...
   – In fünf Jahren ...

3. Sprechen Sie über das Thema „Schule".

   Schulfächer • Noten • Lehrer • Geld • ...

4. Thema „Wohnen"
   Beschreiben Sie das Wohnzimmer rechts.

5. Wie soll Ihre nächste Wohnung sein?
   – Größe
   – Zimmer
   – Preis
   – wo

6. Was passiert hier?

   Die ... werden ...
   Das Auto ...

7. Was lassen Sie machen und was machen Sie selbst? Nennen Sie je zwei Beispiele.

   Ich lasse ...
   Mein Fahrrad ...

8. Nennen Sie je zwei Vorteile und Nachteile vom Fahrradfahren.

   Geld • Wetter • Gesundheit • Sicherheit • ...

Mein Ergebnis finde ich: ☺ 😐 ☹

Ich über mich

So wohne ich. Schreiben Sie.

Wir wohnen in einer Altbau-Wohnung in Berlin: meine Frau, ich, meine Mutter und meine zwei Kinder. Die Wohnung hat vier Zimmer. Meine Kinder haben zusammen ein Zimmer und meine Mutter hat ihr Zimmer. Es gibt noch ein Wohnzimmer, unser Schlafzimmer, ein Bad und eine Toilette. Der wichtigste Raum ist die Küche. Sie ist groß und sie ist das Herz von unserer Wohnung! Hier treffen wir uns am Morgen zum Frühstück und am Abend, wenn wir zusammen essen. Mein jüngerer Sohn macht auch seine Hausaufgaben in der Küche, wenn sein Bruder zu laut Musik hört.

Vor ein paar Monaten habe ich meine Brieffreundin in Japan besucht. Sie lebt in der Nähe von Kobe auf dem Land. Ihr Haus ist klein, aber sehr praktisch. Das Wohnzimmer ist auch das Esszimmer und am Abend wird es zum Schlafzimmer.
Auf dem Boden liegen Tatamis und man sitzt auf kleinen Kissen. Am Abend werden dann die Futons ausgerollt, das sind die Betten.

13 Das steht dir gut!

1 Kleidung – Ein Kreuzworträtsel

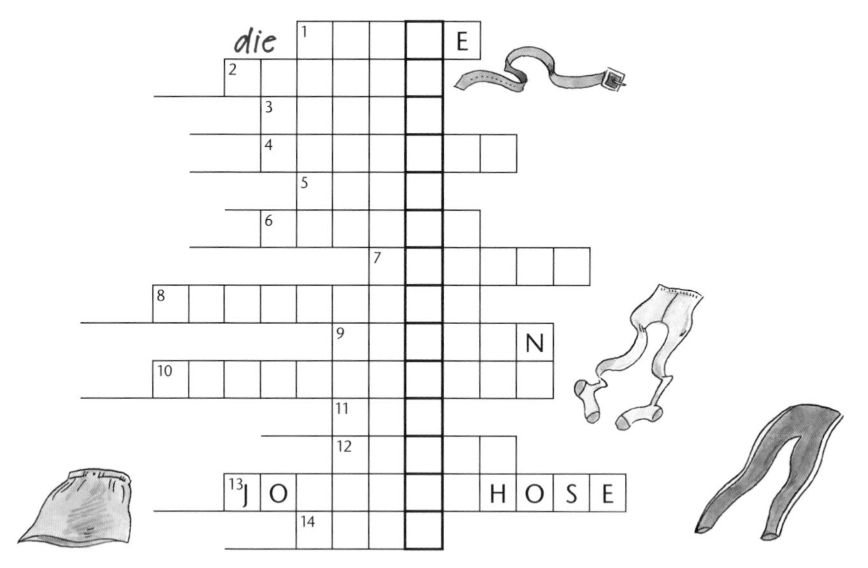

Waagerecht:
1. Es ist kalt. Zieh bitte deine J… an.
2. So bleibt die Hose oben.
3. Man trägt sie auf dem Kopf. Sie hilft bei Kälte im Winter.
4. Das kann man am Ohr tragen.
5. Bei Frauen heißt es Bluse, bei Männern …
6. Man braucht ihn vor allem im Winter.
7. Ich kann ohne sie nicht lesen.
8. Man trägt sie unter der Hose.
9. Das zieht man an die Füße.
10. Es sind Strümpfe wie eine Hose.
11. Man hat sie immer dabei und weiß, wie spät es ist.
12. Sie kommt aus Kalifornien. Heute trägt sie fast jeder.
13. Man trägt sie beim Sport oder in der Freizeit.
14. Männer tragen Hosen. Frauen tragen auch Hosen oder einen …

Senkrecht: Ein Gegenstand in der Wohnung für die Kleider.

2 Was tragen Sie …? – Was trägst du …?

3.2

2.1 Interviews – Hören Sie und ergänzen Sie die Tabelle. Wir haben vier Personen gefragt.

1. Was tragen Sie in Ihrer Freizeit?
2. Was tragen Sie bei der Arbeit?
3. Was tragen Sie oft und was tragen Sie nie?

Ⓐ 
Ⓑ 
Ⓒ 
Ⓓ 

Frage	Thomas Urich	Daniela Schittger	Bernhard Schmitt	Silke Klein
1.				
2.				
3.				

2.2 Beschreiben Sie Ihren Lehrer / Ihre Lehrerin. Was trägt er/sie ...?

immer • oft • manchmal • selten • nie

Frau Wohlfahrt trägt immer einen Rock.
Herr Schuhmann trägt manchmal eine Krawatte.

3 Orientierung im Kaufhaus

3.1 Wie heißen die Wörter? Schreiben Sie.

Herrenm__ __ __ __ __ • Wur__ __ • Bleist__ __ __ • But__ __ __ • Druc__ __ __ •
Kä__ __ • Blu__ __ • Fernse__ __ __ • U__ __ • Ob__ __ • Mi__ __ __ • Kraw__ __ __ __ •
Toma__ __ • Sche__ __ • Gür__ __ __ • Com__ __ __ __ __ • Sports__ __ __ __ •
Soft__ __ __ __ • Br__ __ • Strumpf__ __ __ __ • Han__ __ • Pullo__ __ __ • Ku__ __

3.2 Was passt wohin? Schreiben Sie die Wörter mit Artikel.

Lebensmittel	*Kleidung/Accessoires*	*Büro/Elektronik*
	der Herrenmantel	

4 Kleidung kaufen

4.1 Ergänzen Sie die Sätze und schreiben Sie dann den Dialog ins Heft.

groß • Meter • Winter • ~~weiß~~ • Größe • nicht • tun • dahinten • braucht • helfen

1. Das *weiß* ich nicht.
2. Für den ____________?
3. Ja, aber ____________ zu warm.
4. Ja, was kann ich für Sie ____________?
5. Meine Tochter ____________ eine Jacke.
6. Dann schauen Sie mal ____________.
7. Entschuldigung, können Sie mir ____________?
8. Wie ____________ bist du?
9. Welche ____________?
10. Einen ____________ 44.

● *Entschuldigung, können Sie mir helfen?* ○ *Ja, was kann ...*

4.2 Wer sagt was? – Ordnen Sie zu: Verkäufer/in (V) oder Kunde/Kundin (K).

1. __ Eher etwas Festliches.
2. __ Für die Freizeit?
3. __ Ich suche einen Rock.
4. __ Dahinten rechts.
5. __ Welche Größe haben Sie?
6. __ Kann ich Ihnen helfen?
7. __ Dann schauen Sie mal dahinten.
8. __ Wo kann ich das anprobieren?
9. __ Hier ist das Kleid in Größe 44.
10. __ Nein, das ist zu teuer.
11. __ Das weiß ich leider nicht.
12. __ Schauen Sie im 3. Stock.

4.3 Schreiben Sie Minidialoge mit Sätzen aus 4.2. Es gibt zum Teil mehrere Möglichkeiten.

1. ● Entschuldigung, wo finde ich Blusen?
   ○ ____________________
2. ● ____________________
   ○ Die Umkleidekabinen sind hinten rechts.
3. ● Kann ich Ihnen helfen?
   ○ ____________________
4. ● Guten Tag, ich suche eine Hose.
   ____

5 Wie gefällt Ihnen der Anzug?

5.1 Personalpronomen im Dativ – Ergänzen Sie den Dialog.

● Guten Morgen, Herr Schnelle, kann ich _Ihnen_ helfen?

○ Danke, ich habe schon etwas gefunden. Was meinen Sie? Steht ________ diese Farbe?

● Na ja, das ist mal etwas anderes. Ich finde dieses Grün steht ________ besser.

○ Das ist ein guter Tipp. Ich danke ________. Das gefällt ________ auch sehr gut.

5.2 Personalpronomen im Dativ – Ergänzen Sie die Sätze.

1. Das ist unsere Tasche. Die Tasche gehört ________.
2. Ist das euer Auto? Gehört das Auto ________?
3. Sind das deine Schuhe? Gehören die Schuhe ________?
4. Das ist mein Handy. Das Handy gehört ________.
5. Ist das Marias Mantel? Gehört der Mantel ________?

6 Die Anprobe

6.1 Ergänzen Sie.

● Suchst du et___ ___ ___ Bestimmtes, Linda?

○ Ja, i___ ___ brauche ei___ ___ ___ Rock.

● Ku___ ___ oder la___ ___?

○ Etwas län___ ___ ___ als d___ ___ Jeansrock hi___ ___.

● Dann pro___ ___ ___ ___ doch m___ ___ den hi___ ___. Der si___ ___ ___ klasse a___ ___.

○ Der i___ ___ doch zu e___ ___, Sabine. Gi___ ___ es d___ ___ nicht et___ ___ ___ weiter?

● In Gr___ ___ ___ 38 gibt es n___ ___ den.

○ Gut, i___ ___ probier i___ ___ mal an.

● D___ ___ steht d___ ___ super.

○ Ab___ ___ er i___ ___ mir zu e___ ___. Ich sc___ ___ ___ mal bei den Hosen.

● Ich de___ ___ ___, du suc___ ___ ___ einen Ro___ ___.

○ Ja, ab___ ___ ich fi___ ___ ___ doch nic___ ___ ___.

…

6.2 Demonstrativpronomen (N, A, D) – Ergänzen Sie.

Dialog 1

- ● Gehst du mit Lukas in die Disco?
- ○ Nein, _______ (N) ist zu langweilig.
- ● Und Ron?
- ○ Mit _______ (D) gehe ich nie aus.
- ● Dann frag doch deinen Bruder!
- ○ Steffen? _______ (N) ist doch viel zu jung!

Dialog 2

- ● Iss doch noch etwas Gemüse!
- ○ _______ (A) mag ich aber nicht.
- ● Dann nimm doch noch Salat.
- ○ _______ (A) will ich auch nicht.
- ● Hier ist noch Wurst.
- ○ _______ (N) schmeckt mir nicht.
  Ich will Käse.

Dialog 3

- ● Wie findest du die Schuhe?
- ○ _______ (N) sehen gut aus.

Dialog 4

- ● Der Pulli ist schön.
  _______ (N) passt gut zu deiner Hose.
- ○ Aber _______ (N) ist mir viel zu weit,
  _______ (A) kann ich nicht anziehen.

7 Aussprache: Satzakzente

3.3

7.1 Hören Sie und markieren Sie den Satzakzent wie im Beispiel. Sprechen Sie laut.

Ich kaufe meine Strümpfe immer im Supermarkt. (nicht: im Kaufhaus)
Ich kaufe meine Strümpfe immer im Supermarkt. (nicht: manchmal)
Ich kaufe meine Strümpfe immer im Supermarkt. (nicht: meine Hosen)
Ich kaufe meine Strümpfe immer im Supermarkt. (nicht: Peter)

7.2 Schreiben Sie andere Sätze und üben Sie wie in 7.1.

8 Vergleichen

8.1 Adjektive – Suchen Sie ein Gegenteil.

eng • praktisch • schnell • ~~klein~~ • kalt • krank • hart • interessant • neu • laut • billig • einfach

groß	*klein*	langweilig	
langsam		warm	
gesund		teuer	
leise		weit	
weich		alt	
kompliziert		unpraktisch	

8.2 Komparation – Schreiben Sie die passenden Formen in die Tabelle.

regelmäßig		regelmäßig + Umlaut	
schön		groß	*größer*
modern		lang	
praktisch		kurz	
kreativ		hart	
billig		gesund	
weit		warm	
⚠ teuer		alt	

unregelmäßig

gut ⚠	*besser*
viel ⚠	
gern ⚠	

8.3 *Wie* und *als* – Was passt zusammen? Ergänzen Sie und ordnen Sie zu.

lieber • ~~kälter~~ • mehr • billiger • gesünder • besser • genauso • genauso • genauso

Jeans finde ich [1]		[a] als der Mantel.
Ich trage Röcke [2]		[b] als ein T-Shirt.
Ein Hemd steht dir [3]	*kälter*	[c] als in Freiburg.
Die Jacke ist 50 € [4]		[d] als Jeans.
Ein Fahrrad ist in der Stadt oft [5]		[e] als Pommes frites.
In Bielefeld ist es oft 10 °C [6]		[f] gern wie Döner.
Mein neuer Job macht mir [7]		[g] schnell wie ein Auto.
Hamburger esse ich [8]		[h] schön wie Anzüge.
Obst ist [9]		[i] Spaß als der alte.

8.4 Vergleiche – Ergänzen Sie die Komparativformen.

lang • schnell • langsam • ~~groß~~ • viel • wenig

1. Berlin ist _größer_ _als_ Hamburg.
2. In Deutschland wohnen ________________ Menschen _____ in Frankreich.
3. Die Deutschen essen ________________ Reis _____ Kartoffeln.
4. Der Winter in Deutschland ist ________________ _____ der Sommer.
5. Von München nach Hamburg ist der Zug ________________ _____ das Auto.
6. In der Stadt ist das Auto meistens ________________ _____ die Straßenbahn.

8.5 Ergänzen Sie die passenden Superlativformen.

1. Ich lerne immer viel, aber vor einer Prüfung lerne ich _am meisten_.
2. Blau steht dir auch gut, aber Grün sieht bei dir ________________ aus.
3. Ich fahre gern Fahrrad, aber ________________ gehe ich spazieren.
4. Abends mache ich gern Sport. ________________ gehe ich ins Fitness-Studio.
5. Ich gebe viel Geld für Kleidung aus, ________________ für Hemden und Hosen.

Effektiv lernen

Redemittel lernen und wiederholen

Sie haben jetzt schon Redemittel für viele Situationen im Alltag gelernt.
So können Sie schwierige Redemittel sammeln und wiederholen:

Vorderseite	Rückseite
Hose kaufen – Preis? – teuer!	Wie viel kostet die Hose? Die ist mir zu teuer. Haben Sie auch andere?
Familie/Verwandte – wie viele? – Eltern treffen / wie oft?	Hast du viele Verwandte? Wie oft triffst du deine Eltern?

Machen Sie einmal pro Woche einen Wiederholungstag für Redemittel.

Sortieren Sie dann Ihre Karten:
Stapel 1: Das habe ich gekonnt.
Stapel 2: Das habe ich nicht gekonnt.

TIPP Sie können auch Karten im Kurs mit anderen tauschen.

14 Feste, Freunde, Familie

1 Erinnerungen an Feste

1.1 Schreiben Sie die Glückwünsche zu den Bildern.

A ____________________ B ____________________ C ____________________

1.2 Wie heißen die Wörter? Ergänzen Sie.

1. Bei der ____________________ trägt die Braut ein ____________________ und ihr Mann einen Anzug.
2. Zu W____________________ haben die Kinder viele ____________________. Aber manche G____________________ sind auch Überraschungen.
3. Unsere Hochzeit haben wir mit vielen V____________________ und F____________________ gefeiert.

Verwandten • Wünsche • Freunden • Hochzeit • Brautkleid • Weihnachten • Geschenke

1.3 Ergänzen Sie die Verben.

1. Am 24. Dezember s____________________ wir morgens den Weihnachtsbaum.
2. Silvester f____________________ wir immer mit Freunden.
3. Vor Ostern b____________________ wir Eier. An Ostern s____________________ die Kinder die Eier.
4. Weihnachten, das ist anderen etwas s____________________, etwas Schönes a____________________ und vor allem gut e____________________.

anziehen • bemalen • essen • feiern • schenken • schmücken • suchen

2 Feste bei Ihnen

Schreiben Sie eine E-Mail an eine deutsche Freundin. Schreiben Sie über folgende vier Punkte:

- Was ist für Sie ein wichtiges Fest?
- Wer feiert zusammen?
- Gibt es Geschenke?
- Wie lange dauert das Fest?

man lädt … ein und alle … das wichtigste Fest bei uns ist …
liebe Grüße … Die … bringen Geschenke mit.
Meistens …
Liebe … das Fest beginnt … und ist … zu Ende.

3 **Wir heiraten.**
Lesen Sie die Meldungen und Mitteilungen und lösen Sie die Aufgaben 1–4.

Wir sagen ja!

Unsere Hochzeit feiern wir am
5. Mai
mit unseren Familien und Freunden.
Kirchliche Trauung:
11 Uhr in der Waldkirche
Danach essen und tanzen wir
im Restaurant Bergfried.
Zu unserem Fest laden wir euch herzlich ein.
Ihr kommt doch?

Bitte sagt bis zum 31. März Bescheid.

Alexandra und Stefan
Standesamt: 4. Mai, 10 Uhr

Ⓐ

    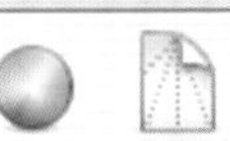 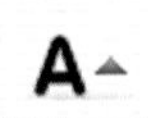

VON: t.bunk@zet.de
AN: alexandrakempf@yadu.com

Liebe Alexandra,

ich habe mich so auf eure Hochzeit gefreut und nun kann ich nicht kommen. Unsere Firma beginnt ein neues Projekt in Polen und ich muss heute Nachmittag noch nach Warschau. Gestern war ich noch in der Stadt und habe mir ein tolles Kleid gekauft. Und als ich nach Hause gekommen bin, war die Nachricht von der Firma auf meinem Anrufbeantworter. Schade, aber ich kann nichts machen. Der Termin ist sehr wichtig.
Euer Geschenk bekommt ihr aber! Ich gebe es Katrin und Gerd mit. Ich hoffe, ihr habt so etwas noch nicht und könnt es brauchen. Ich bin in zwei Wochen wieder aus Warschau zurück. Wie lange sind eure Flitterwochen? Danach komme ich euch besuchen.
Ich wünsche euch ein schönes Fest und schöne Flitterwochen und alles Gute und Liebe für euer Leben zu zweit,
eure

Tamara

1. Tamara kommt zur Hochzeit. Richtig Falsch

2. Tamara sagt:
[a] Sie kauft in Polen ein Geschenk.
[b] Sie bleibt zehn Tage in Polen.
[c] Sie hat ein Kleid für die Hochzeit.

Ⓑ ***Hausfest* • *Hausfest* • *Hausfest* • *Hausfest* • *Hausfest* • *Hausfest* • *Hausfest* • *Hausfest* • *Hausfest* • *Hausfest* •**

Liebe Mitbewohnerinnen und Mitbewohner,

auch in diesem Jahr wollen wir wieder unsere traditionelle Hausparty organisieren. Wir haben alle Mieterinnen und Mieter gefragt und alle machen mit. Die meisten Mitbewohner waren für den Termin am 30. Juni. Die Party beginnt wie jedes Jahr um 17 Uhr und der offizielle Teil ist um 23 Uhr zu Ende. In den nächsten Tagen bekommen Sie alle eine Liste. Auf dieser Liste können Sie notieren, was Sie zu essen machen wollen. Getränke und Sonstiges kosten wie im letzten Jahr 10 Euro pro Person. Kinder zahlen natürlich nichts. Musik vom MP3-Player haben wir oder kennt jemand eine Band, die bei uns Live-Musik machen kann?

Liebe Grüße
Sandra Berger (Hausmeisterin)

3. Das Hausfest findet abends statt. Richtig Falsch

4. Sandra Berger schreibt:
[a] Sie hat alle Hausbewohner gefragt.
[b] Alle wollen am 30. Juni feiern.
[c] Getränke bringt jeder selbst mit.

4 Ich schenke dir eine Rose.

4.1 Wiederholung: Personalpronomen – Ergänzen Sie die Tabelle und die Sätze.

Nominativ	ich	du	er	es	sie	wir	ihr	sie/Sie
Akkusativ	mich							
Dativ	mir							

1. ● Hörst du m__________? ○ Ja, ich höre d__________ gut.
2. ● Was kannst du m_______ als Geschenk für meinen Chef empfehlen? ○ Schenk i_______ Wein.
3. Mein Vater gibt u__________ immer Geld und er bekommt von u__________ Rotwein.
4. Ich war im Urlaub am Bodensee. Ich kann e__________ das nur empfehlen.

4.2 Possessivartikel im Akkusativ oder Dativ – Ergänzen Sie die Endungen.

1. Mein_er_ Mutter gefallen deine Ohrringe.
2. Was willst du dein____ Kindern zu Weihnachten kaufen?
3. Rudolf möchte sein____ Sohn einen MP3-Player zum Geburtstag schenken.
4. Meine Frau telefoniert jeden Tag mit ihr____ Mutter in Lima.
5. Wir haben unser____ Eltern seit zwei Jahren nicht mehr gesehen.
6. Sie trifft ihr____ Bruder nur einmal im Jahr.

4.3 Schreiben Sie Sätze mit *schenken* oder *kaufen* wie im Beispiel.

1. ich → (mein Mann) / zum Geburtstag eine Waschmaschine
   Ich schenke meinem Mann zum Geburtstag eine Waschmaschine.
2. wir → (sie) / zu Ostern nichts
   Wir ______________________________
3. ich → (meine Tochter) / ein Fahrrad zum Geburtstag
   ____
4. Peter → (seine Freundin) / zum Hochzeitstag eine Reise nach Berlin
   ____
5. ich → (du) / zur bestandenen Prüfung ein Wochenende in Wien
   ____
6. Tamara → (Alexandra und Stefan) / eine Kaffeemaschine zur Hochzeit
   ____
7. Helge und Lea → (wir) / zu Weihnachten zehn Mal Rasenmähen
   ____
8. meine Mutter → (mein Vater) / ein Handy zum Geburtstag
   ____

4.4 Schreiben Sie die Ja/Nein-Fragen zu den Antworten.

1. ● (du / Schwester / eine Kette) *Schenkst du deiner Schwester eine Kette?*
   ○ Nein, ich schenke ihr ein Armband.
2. ● (Rudi / Frau / Pralinen) ______
   ○ Nein, er hat ihr eine Bluse gekauft.
3. ● (du / Ralf / eine DVD) ______
   ○ Nein, ich schenke ihm ein Buch.
4. ● (du / Sandra / Parfüm) ______
   ○ Ja, und sie bekommt auch noch einen Blumenstrauß von mir.
5. ● (Sarah / Sohn / ein Computerspiel) ______
   ○ Nein, sie schenkt ihm einfach Geld.

5 Familie und Freunde

5.1 Lesen Sie die zehn Fragen. Fünf Fragen sind falsch. Korrigieren Sie sie.

1. Sind Sie verheiratet?
2. Mit wem feiern Sie Ihren Geburtstag?
3. Wen gehört zu Ihrer Familie?
4. Wie oft treffen Sie Ihre Verwandten?
5. Wie lange Freunde haben Sie?
6. Wohin wohnen Ihre Eltern?
7. Wer sprichst du über Probleme?
8. Hast du Kinder?
9. Wem schenkst du etwas zu Weihnachten?
10. Wie alt macht ihr Familienfeste?

[3] ______
[ ] ______
[ ] ______
[ ] ______
[ ] ______

5.2 W-Fragetraining – Wie viele W-Fragen können Sie in drei Minuten schreiben? Vergleichen Sie im Kurs.

Wer • Was • Mit wem • Wen • Wann • Wie lange • Wie oft • Wo • Wohin • Woher • Um wie viel Uhr …

Wer hat im Mai Geburtstag?

3.4 P

5.3 Interview mit Frau Füllemann – Sie hören ein Gespräch. Zu dem Gespräch lösen Sie vier Aufgaben. Kreuzen Sie die richtige Antwort an.

1. Frau Füllemann ist …
   a Studentin.
   b Lehrerin.
   c Hausfrau.

2. Die Kinder sind …
   a zwischen 13 und 21 Jahren alt.
   b zwischen 3 und 13 Jahren alt.
   c alle über 18.

3. Frau Füllemann macht Geschenke …
   a zu allen Festen.
   b zu Weihnachten und Geburtstagen.
   c immer bei Einladungen.

4. Frau Füllemanns Wünsche sind meistens …
   a Süßigkeiten.
   b Bücher und CDs.
   c Blumen oder Pralinen.

6 Aussprache: Satzmelodie

3.5 **6.1 Hören Sie und notieren Sie die Satzmelodie.**

1. Bist du verheiratet? (↗) Lebst du allein? ( )
   Bist du verheiratet ( ) oder lebst du allein? ( )
2. Feierst du mit Freunden? ( ) Bleibst du zu Hause? ( )
   Feierst du mit Freunden ( ) oder bleibst du zu Hause? ( )
3. Schenken wir den Gutschein zusammen? ( ) Möchtest du Meike alleine etwas schenken? ( )
   Schenken wir den Gutschein zusammen ( ) oder möchtest du Meike alleine etwas schenken? ( )

6.2 Sprechen Sie die Sätze laut und üben Sie weitere Sätze zu zweit.

Kaufen wir Blumen oder Pralinen? Zahlst du bar oder mit Karte?
Wirst du heute neunzehn oder zwanzig? ...

7 Die Zeiten ändern sich.

7.1 Wiederholung: Modalverben – Wählen Sie das passende Modalverb aus und schreiben Sie die Sätze.

1. ich / schon ein bisschen / Deutsch sprechen / (können/müssen)

   ____

2. Sie / hier nicht parken / (dürfen/müssen)

   ____

3. du / am Sonntag / arbeiten / ? / (müssen/dürfen)

   ● ______________________________

   nein, / ich / ausschlafen / (können/müssen)

   ○ ______________________________

4. ihr / uns bitte helfen / ? / (können/dürfen)

   ____

5. wir / schreiben / einen Brief auf Deutsch / (wollen/können)

   ____

7.2 Was passt? Markieren Sie.

1. Meine Mutter **konnte** / **musste** schon mit vier Jahren gut lesen, ich erst mit sieben.
2. Mein Vater **wollte** / **musste** gern Lehrer werden, aber er **konnte** / **musste** nicht studieren, denn seine Eltern hatten zu wenig Geld.
3. Mein Onkel **musste** / **wollte** auch schon mit 14 Jahren arbeiten gehen, denn sein Vater **konnte** / **musste** die Schule nicht bezahlen.
4. Ich **durfte** / **wollte** früher am Sonntag nie mit Freunden spielen. Der Sonntag war Familientag.
5. Wir **wollten** / **mussten** am Sonntagmorgen mit meinen Eltern in die Kirche gehen.

8 Früher und heute

8.1 Ergänzen Sie die passenden Modalverben. Es gibt mehrere Möglichkeiten.

1. ● Was? Du konntest mit 12 schon Auto fahren?
   ○ Mit 12 _wollte_ ich Auto fahren, aber ich _durfte_ nicht. Mit 17 habe ich dann den Führerschein gemacht.
2. ● Fährst du gern Fahrrad?
   ○ Ja, heute sehr gern. Als Kind ______ ich nie mit dem Fahrrad zur Schule fahren, aber ich ______ immer fahren, auch bei Regen und Kälte. Ich ______ lieber die Straßenbahn nehmen.
3. ● Warst du schon mal in Afrika?
   ○ Leider nein, mit 20 ______ ich eine Reise nach Südafrika machen, aber es hat nicht geklappt.
4. ● Sprechen alle in deiner Familie Fremdsprachen?
   ○ Nein, meine Oma ______ keine Fremdsprache sprechen, meine Mutter eine und ich ______ jetzt zwei, Englisch und Deutsch. Nächstes Jahr ______ ich Spanisch lernen.
5. ● ______ ihr mit 13 schon Partys feiern?
   ○ Nein, unsere Mutter hat das nie erlaubt.
6. ● Seit wann ______ du Klavier spielen?
   ○ Ich ______ schon mit vier Jahren jede Woche zum Klavierunterricht gehen. Ich ______ das zuerst nicht, aber heute spiele ich gern.

8.2 Schreiben Sie vier Sätze über sich wie im Beispiel. Vergleichen Sie im Kurs.

können • wollen • dürfen • müssen

Früher konnte ich nur Englisch, aber heute kann ich auch Deutsch sprechen.

Schwierige Wörter

3.6 **1 Hören Sie und sprechen Sie langsam nach. Wiederholen Sie die Übung.**

Geschenkgutschein↘	einen Geschenkgutschein↘	Ich möchte einen Geschenkgutschein.↘
Geburtstagswunsch↘	mein Geburtstagswunsch↘	Das ist mein Geburtstagswunsch.↘
Hochzeitsgeschenk↗	ein Hochzeitsgeschenk↗	Hast du schon ein Hochzeitsgeschenk?↗

2 Welche Wörter sind für Sie schwierig? Schreiben Sie drei Lernkarten und üben Sie mit einem Partner / einer Partnerin.

15 Miteinander leben

1 Vier Personen, vier Erfahrungen

1.1 Ergänzen Sie den Text.

Ich ha__ __ Deutsch gel__ __ __ __ und ei__ __ Ausbildung gem__ __ __ __. Die Fam__ __ __ __ hat m__ __ sehr da__ __ __ geholfen. 1995 wol__ __ __ ich in me__ __ __ Heimat zur__ __ __, aber da__ __ habe i__ __ meinen Ma__ __ kennengel__ __ __ __ und w__ __ haben gehei__ __ __ __ __. Liebe ma__ __ __ die Integ__ __ __ __ __ __ __ viel leic__ __ __ __! Viele Einwa__ __ __ __ __ __ können si__ __ nur sch__ __ __ an d__ __ neue La__ __ und an d__ __ andere Kul__ __ __ gewöhnen.

1.2 Schreiben Sie Sätze ins Heft.

1. 1970 / BIN / ICH / MITMEINERFRAUNACHSTUTTGARTGEKOMMEN
2. AMANFANGWARDASLEBENINDEUTSCHLANDNICHTEINFACHABERESHATSICHVIELVERÄNDERT
3. WIRHABENDEUTSCHGELERNTUNDUNSERENACHBARNSINDNACHSPANIENINDENURLAUBGEFAHREN
4. HEUTEVERBRINGENWIRUNSEREFREIZEITOFTMITUNSERENNACHBARNODERMITKOLLEGEN
5. WENNIHREKINDERPROBLEMEINSPANISCHHABENHELFEICHIHNEN
6. ICHFINDEMANKANNINEINEMANDERENLANDLEBENUNDSEINEKULTURBEHALTEN

1.3 Was verbinden Sie mit Heimat? Schreiben Sie wie im Beispiel.

H ochzeit
E ssen
I nternet
M utter
A uto
T elefonieren

H ______________________
E ______________________
I ______________________
M ______________________
A ______________________
T ______________________

2 Gefühle ausdrücken

Was ist richtig: a, b oder c? Kreuzen Sie an.

1. Ich bin nach Deutschland gegangen und habe dort Arbeit …
   [a] gemacht.
   [b] gesucht.
   [c] findet.

2. An der Volkshochschule habe ich dann einen Sprachkurs …
   [a] gehabt.
   [b] gemacht.
   [c] zahlen.

3. Ich konnte kein Deutsch.
   [a] Das nicht leicht war.
   [b] Das ist nicht leicht.
   [c] Das war nicht leicht.

4. Ich lebe in der Familie von meinem Mann.
   [a] Zu Hause wir nur Türkisch sprechen.
   [b] Sprechen wir zu Hause nur Türkisch?
   [c] Zu Hause sprechen wir nur Türkisch.

5. Mein Mann kommt immer ganz spät von der Arbeit …
   [a] zu Hause.
   [b] im Haus.
   [c] nach Hause.

6. Bald kommt mein Sohn in die Schule.
   [a] Ich kann ihn beim Lernen nicht helfen.
   [b] Ich kann ihm beim Lernen nicht helfen.
   [c] Ich ihm beim Lernen nicht helfen können.

3 Etwas begründen – *weil*

Markieren Sie die Verben und schreiben Sie wie im Beispiel.

Miteinander leben

1. Ich bin nach Deutschland gegangen. Ich habe Arbeit gesucht.
   Ich bin nach Deutschland gegangen, weil ich Arbeit gesucht habe.
2. Am Anfang war es nicht leicht. Ich konnte kein Deutsch.
   ____
3. Ich habe schnell gelernt. Der Sprachkurs hat Spaß gemacht.
   ____
4. Bin ich ein Deutscher? Ich lebe in Deutschland.
   ____
5. Ich spreche nicht gut Deutsch. Wir sprechen zu Hause nur Türkisch.
   ____
6. Ich hatte nie Probleme in der Schule. Ich finde schnell Freunde.
   ____
7. Ich habe Angst vor dem Bewerbungstermin. Ich habe das noch nie gemacht.
   ____
8. Ihre Tipps sind ganz praktisch. Sie hat diese Erfahrungen alle selbst gemacht.
   ____
9. Er geht zurück in die Heimat. Er fühlt sich hier nicht wohl.
   ____

Im Kurs

10. ● Warum hast du Angst vor der Prüfung? ○ Ich habe nicht gut gelernt.

Weil ich nicht gut gelernt habe.

11. ● Warum möchtest du Deutsch lernen? ○ Ich möchte in Deutschland studieren.

____

12. ● Warum bist du heute so spät gekommen? ○ Ich hatte einen Termin beim Arzt.

____

13. ● Warum gehst du freitags schon um 12 Uhr? ○ Ich helfe meinem Vater im Restaurant.

____

14. ● Warum schreibst du so viele Lernkarten? ○ So lerne ich die Wörter am besten.

____

15. ● Warum benutzt du kein Wörterbuch? ○ Ich habe kein Wörterbuch.

____

4 Konfliktsituationen – Verschiedene Sprechweisen

3.7

4.1 Hier spricht Juri ruhig und sachlich. Hören Sie zu und sprechen Sie wie Juri.

○ Jetzt am Wochenende?↗
○ Das geht nicht, weil ich da auf dem Schulfest bin.↘
○ Doch, für mich ist das sehr wichtig, weil ich bei der Organisation mitarbeite.↘
○ Tut mir leid, ich kann wirklich nicht.↘ Hast du Johann schon gefragt?↗

3.8

4.2 Hier spricht Juri aufgeregt und ärgerlich. Hören Sie zu und sprechen Sie wie Juri.

○ Jetzt?↗ Am Wochenende?↗
○ Das geht nicht, weil ich da auf dem Schulfest bin!↘
○ Doch!↘ Für mich ist das sehr wichtig, weil ich bei der Organisation mitarbeite.↘
○ Tut mir leid, ich kann wirklich nicht.↘ Hast du Johann schon gefragt?↗

P

4.3 Eine Mitteilung schreiben – Wählen Sie eine Aufgabe aus: Aufgabe A oder B. Zeigen Sie, was Sie können. Schreiben Sie möglichst viel.

Aufgabe A
Am Wochenende müssen Sie arbeiten. Sie können aber nicht. Fragen Sie Ihren Kollegen Johann. Die Bezahlung ist sehr gut (Überstunden). Er soll Ihnen bis morgen Bescheid sagen.

Schreiben Sie über folgende Punkte:
- Grund für Ihr Schreiben
- Was ist das Problem?
- Welche Frage haben Sie an ihn?
- Wann soll er sich melden?

Aufgabe B
Sie schreiben nach dem Geburtstag an Frau Gruber. Sie bitten sie um Entschuldigung und fragen nach ihrer Gesundheit. Sie berichten vom Geburtstag und laden sie zum Kaffee/Tee ein.

Schreiben Sie über folgende Punkte:
- Grund für Ihr Schreiben / Entschuldigung für den Lärm
- Frage nach der Gesundheit
- Was möchten Sie machen?
- Termin für die Einladung

5 Sabahetas Tipps

5.1 Wiederholung – Schreiben Sie Imperativformen.

1. Können Sie bitte langsamer sprechen?

Bitte sprechen Sie langsamer. *Sprich bitte langsamer.*

2. Können Sie das bitte wiederholen?

3. Können Sie mir mit dem Formular helfen?

4. Können Sie mir ein Wörterbuch geben?

5. Können Sie bitte den Brief korrigieren?

5.2 Was passt nicht? Markieren Sie.

1. eine Auskunft brauchen – fragen – bekommen
2. eine Frage haben – kennen – notieren
3. Konflikte vermeiden – haben – absagen
4. Kontakt haben – finden – besprechen
5. einen Termin absagen – bringen – haben
6. ein Fest feiern – einladen – absagen

5.3 *Wenn ..., dann ...* – Schreiben Sie wie im Beispiel.

Gesundheit

1. Ich habe Fieber. Ich lege mich ins Bett.

Wenn ich Fieber habe, dann lege ich mich ins Bett.

2. Agnes möchte abnehmen. Sie isst keine Schokolade.

3. Klaus will etwas für seine Gesundheit tun. Er geht täglich joggen.

4. Ich habe Husten. Ich nehme Hustensaft.

5. Frau Kleist kann nicht schlafen. Sie nimmt eine Tablette.

Freizeit

6. Wir grillen im Garten. Wir laden meistens unsere Nachbarn ein.

7. Es ist heiß. Wir gehen ins Schwimmbad.

8. Du hast Zeit. Wir treffen uns heute Nachmittag im Park.

9. Du hast Lust. Wir gehen heute Abend in die Disco.

10. Ich habe Zeit. Ich putze meine Wohnung.

6 Aussprache: *r*

6.1 Wann sprechen Sie *r*? Markieren Sie.

Ich habe mi**r** imme**r** F**r**agen notie**r**t.

Können Sie bitte langsame**r** sp**r**echen?

Können Sie das einfache**r** sagen?

Das Zaube**r**wo**r**t *bitte* öffnet Tü**r**en. Dann geht alles leichte**r**.

3.9

6.2 Hören Sie zur Kontrolle.

6.3 Kennen Sie die Regel? Schauen Sie auf Seite 136 nach.

7 Konflikte besprechen

P

Welche Wörter passen hier? Kreuzen Sie an: a, b, oder c.

○ Guten Tag, Herr Wilking, mein Name ① Beckard, ich wohne oben.

● Hallo, Frau Beckard.

○ Im Flur ② zu viele Fahrräder. Unser Kinderwagen hat keinen Platz.

● Wir sind vier Personen, zwei Räder stellen wir immer ③ den Keller und zwei stehen im Flur. Wo sollen wir sie hinstellen?

○ Das weiß ich nicht. Wo soll ich ④ Kinderwagen hinstellen? Ich kann ihn nicht nach oben tragen.

● Natürlich nicht, das verstehe ich. Wie viele Fahrräder stehen denn da?

○ Ich glaube, vier oder fünf. Drei Kinderräder und …

● Das stimmt, das ⑤ nicht. Vielleicht ist Besuch da – ich frage mal meinen Sohn. Normalerweise passen zwei Fahrräder und der Kinderwagen in den Flur. Da ist genug Platz.

○ ⑥ wir vielleicht ein Schild in den Flur machen?

● Ja, das ist eine gute Idee, das kann mein Sohn auch machen.

1. [a] sein
   [b] ist
   [c] haben

2. [a] steht
   [b] stellt
   [c] stehen

3. [a] in
   [b] an
   [c] im

4. [a] mein
   [b] meine
   [c] meinen

5. [a] geht
   [b] läuft
   [c] kann

6. [a] Möchten
   [b] Können
   [c] Darf

Effektiv lernen

Deutsch lernen und Deutschland kennenlernen beim Fernsehen

TIPP Sie können auch Karten im Kurs mit anderen tauschen.

Fernsehserien
Suchen Sie sich eine Fernsehserie aus und sehen Sie sie möglichst regelmäßig. In Fernsehserien wiederholen sich viele Situationen. Sie kennen mit der Zeit die Personen und wissen, wie sie sprechen. Das hilft beim Verstehen. Wenn Sie mit Freunden gemeinsam fernsehen, können Sie sich gegenseitig beim Verstehen helfen.

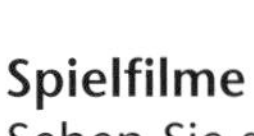

Spielfilme
Sehen Sie sich Spielfilme im Kino oder im Fernsehen auf Deutsch an, wenn Sie sie schon in Ihrer Muttersprache gesehen haben. Am Anfang sind Spielfilme mit viel „Action" und wenigen Dialogen gut (z. B. James Bond o. Ä.).

DVD
Bei DVDs können Sie oft die Sprache auswählen. Wenn Sie sich einen Film in Ihrer Muttersprache angesehen haben, dann sehen Sie ihn später noch einmal auf Deutsch an. Oft können Sie auch den Ton auf Deutsch hören und gleichzeitig die Untertitel lesen.

Nachrichten
Informieren Sie sich über die Ereignisse vom Tag in Ihrer Sprache. Sehen Sie sich danach die Nachrichten auf Deutsch an.

Der DVD-Recorder
Wenn Sie einen Videorekorder haben, dann nehmen Sie Fernsehsendungen auf. Sehen Sie sich dann die Videoaufnahme an. Wenn Sie etwas nicht verstanden haben, dann sehen Sie sich die Szene noch einmal an. Zu zweit kann man sich gegenseitig helfen.

In vielen Ländern der Welt können Sie die Deutsche Welle empfangen. Das Programm finden Sie im Internet unter www.dw-world.de

Testtraining in *Berliner Platz 2 NEU*

Die vier Testtrainings in *Berliner Platz 2 NEU* bereiten Sie systematisch auf die A2-Prüfung vor.
Die Prüfung besteht aus vier Teilen: *Hören*, *Lesen*, *Schreiben* und *Sprechen*.
In den Testtrainings 5–7 üben Sie verschiedene Teile der Prüfung.
In Testtraining 8 finden Sie dann einen kompletten A2-Test.

Allgemeine Tipps für Prüfungen

1. Keine Panik! In der Ruhe liegt die Kraft!
2. Leichte Aufgaben zuerst lösen, schwere Aufgaben am Ende.
3. Unsicher? Immer etwas ankreuzen – es gibt keine Minuspunkte für falsche Antworten!
4. Arbeiten Sie mit Hör- und Lesestrategien: Sie müssen für die Lösung der Aufgaben nicht jedes Wort in den Texten verstehen!

Hören – Telefonansagen

Sie hören fünf Ansagen am Telefon.
Zu jedem Text gibt es eine Aufgabe.
Ergänzen Sie die Telefonnotizen.
Sie hören jeden Text **zweimal**.

Beispiel

3.10 (0) Adresse vom Einwohnermeldeamt
Rathaus: *Hauptstraße 69*

3.11 (1) Hamburg – Kiel
Abfahrt: 9:30
Preis: __________

3.12 (2) Geburtstagsfeier
Bei Boris.
Wann? __________

3.13 (3) Ärztin
Dr. Kallmeyer
Rufnummer: __________

3.14 (4) Tante Annemarie zurückrufen
Treffen: wann?
Morgen oder __________

3.15 (5) Berlin-Immobilien
3-Zimmer Wohnung
Preis: __________

Maximale Punktzahl: 5 / Meine Punktzahl: ______

Tipps für den Prüfungsteil Lesen

1. Lesen Sie zuerst die Aufgabe und dann den Text.
2. Suchen Sie im Text ähnliche Wörter wie in der Aufgabe, z. B. *Jugendgruppe – Gruppe, früher – am Anfang*
3. Sie müssen nicht jedes Wort im Text verstehen!
4. Suchen Sie in den Texten nur die Antwort auf die Aufgabe, der Rest ist nicht wichtig.

Lesen – Zeitungsmeldung

Lesen Sie den Text und die Aufgaben 1–5.

Sind die Sätze 1–5 Richtig oder Falsch? Kreuzen Sie an.

Interkultureller Preis „Junior-Kosmopolita“ für Olga Rapina aus der Ukraine

Bürgermeisterin Waltraud Schmidt hat am Samstag zum ersten Mal eine junge Frau mit dem Preis „Junior-Kosmopolita“ ausgezeichnet. Diesen Preis bekommen Personen, die viel für ein gutes Miteinander von Menschen aus verschiedenen Kulturen getan haben.

Olga Rapina ist vor zehn Jahren aus der Ukraine nach Deutschland gekommen. Obwohl es für sie hier am Anfang sehr schwer war, hat sie vielen anderen Menschen geholfen, die auch als Ausländer nach Deutschland gekommen sind.

Seit sechs Jahren leitet sie eine internationale Gruppe für Mädchen aus der ganzen Welt.

Sie organisiert verschiedene Aktivitäten, von Modenschauen bis zu Theaterstücken, die die Mädchen selbst schreiben.

Olga Rapina hat vor ein paar Wochen mit einer guten Note ihr Abitur geschafft. Das war sehr harte Arbeit für sie, erzählt sie, aber es hat sich gelohnt: Jetzt kann sie ab Herbst Sozialarbeit studieren. Das will sie schon lange, denn dann kann sie den Menschen noch besser helfen.

Aus: Die Stadtteilzeitung

Beispiel

(0) Den Preis bekommen Mädchen, die viele Sprachen sprechen. Richtig 

(1) Olga Rapina ist nicht in Deutschland geboren. Richtig Falsch

(2) Olga Rapina hatte es in den ersten Jahren in Deutschland nicht leicht. Richtig Falsch

(3) Olga Rapina organisiert eine Jugendgruppe für deutsche Mädchen. Richtig Falsch

(4) Sie geht mit der Gruppe oft ins Theater. Richtig Falsch

(5) Olga Rapina möchte auch in Zukunft viel für andere tun. Richtig Falsch

Maximale Punktzahl: 5 / Meine Punktzahl: ______

Schreiben – Formular

Ihr Bekannter Rupak Chaurasia aus Indien braucht für zwei Monate ein Zimmer in Dresden. Er hat im Internet schon ein interessantes Angebot gefunden.
Helfen Sie Rupak und schreiben Sie die fünf fehlenden Informationen in das **Formular** der Mitwohnzentrale im Internet oder kreuzen Sie an.

In der Prüfung müssen Sie am Ende Ihre Lösung auf einen **Antwortbogen** schreiben.

Familienname: *Chaurasia*
Vorname: *Rupak*
geb. am: *1.1.1988*
in: *Madras*
Kontaktadresse:
c/o Softwarehaus Dresden
Brückenstr. 1
01157 Dresden

Rupak Chaurasia

Informatik-Student
University of Madras

E-Mail:
chaurasia@university_madras.web

Rupak macht zwei Monate lang ein Praktikum im Softwarehaus Dresden. Er braucht vom 1.9. bis zum 31.10. ein möbliertes Zimmer im Stadtzentrum. Er ist Nichtraucher und hat eine Allergie gegen Katzenhaare. Er bittet die Mitwohnzentrale um Nachricht an seine E-Mail-Adresse chaurasia@university_madras.web.

www.mitwohnzentrale-dresden.de

Name:	*Chaurasia*	0
Vorname:	*Rupak*	
Adresse		
Straße:	*Brückenstraße 1*	
Postleitzahl:	*01157*	
Stadt:	______________	1
Geburtsdatum:	______________	2
Nationalität:	*Indisch*	
Sie möchten ein Zimmer vermieten. Sie suchen ein Zimmer.	☐ ☐	3
Datum:	Vom ______________ bis zum ______________	4
Wie möchten Sie wohnen?	☒ möbliert ☐ unmöbliert	
Sonstiges:	*Bitte keine Haustiere!*	
Kontakt bitte	☐ per E-Mail ☐ per Telefon	5

Maximale Punktzahl: 5 / Meine Punktzahl: ______

Sprechen – Sich vorstellen

3.16

Wir sitzen hier in einer Prüfung und möchten uns kurz kennenlernen. Erzählen Sie uns bitte, wer Sie sind. Formulieren Sie bitte sechs Sätze. Als Hilfe haben Sie hier einige Stichwörter. Als Erstes stelle ich mich vor. Mein Name ist … Ich bin … Jahre alt. Ich komme aus … und lebe in … Ich bin seit vielen Jahren Deutschlehrerin. Ich arbeite bei … Ich spreche Deutsch und … Meine Hobbys sind …

Name? ______

Alter? ______

Land? ______

Wohnort? ______

Sprachen? ______

Beruf? ______

Hobby? ______

Maximale Punktzahl: 3 / Meine Punktzahl: ______

Tipps zur Vorbereitung auf die mündliche Prüfung

1. Notieren Sie sich Begrüßungs- und Frageformeln auf Lernkarten: vorne Ihre Sprache, hinten Deutsch.

Bon dia. Meu nome é …

Guten Tag. Mein Name ist …

2. Üben Sie vor einem Spiegel.
3. Nehmen Sie sich selbst auf.
4. Üben Sie mit Freunden.
5. Üben Sie regelmäßig.

16 Schule und danach

1 Schule in Deutschland

Ergänzen Sie die fehlenden Wörter im Text.

Klasse • Berufsschule • kostenlos • Ausbildung • Grundschule • Erwachsene • Gymnasium • Abitur • Universität • neun • Schulpflicht • Abendschule

In Deutschland gibt es die ________________ . Das heißt, Kinder müssen mindestens ________________ Jahre in die Schule gehen. Die staatlichen Schulen sind ________________ . Vier bis sechs Jahre gehen alle Kinder in die ________________ . Danach gibt es die Hauptschule, die Realschule, das ________________ oder die Gesamtschule. Nach der 9. oder 10. Klasse machen viele Jugendliche eine ________________ in einem Betrieb und gehen gleichzeitig in die ________________ . Wenn man nach der 12. ________________ das ________________ besteht, kann man an einer ________________ studieren. Auch für ________________ gibt es viele Angebote. Wer einen Beruf hat, kann an der ________________ weiterlernen und auch als Erwachsener noch das Abitur machen.

2 Schule und Ausbildung in Ihrem Land

2.1 Wählen Sie Aufgabe A oder B. Zeigen Sie, was Sie können: Schreiben Sie möglichst viel.

TIPP A ist ein privater Text und B ein offizielles Schreiben. Vergessen Sie nicht die Anrede, das Datum und den Gruß am Ende.

A Ein deutscher Freund möchte wissen: „Wie ist das in deinem Land mit der Schule?“
Schreiben Sie über folgende Punkte:
- Beginn und Ende der Schulzeit
- Schularten
- Abschlüsse
- Berufsausbildung/Studium

B Sie möchten einen Weiterbildungskurs für die Arbeit mit dem Computer machen.

Schreiben Sie etwas über folgende Punkte:
- Grund für Ihr Schreiben
- Vorkenntnisse
- eigener Computer
- Kosten und Zeit

2.2 Korrigieren und besprechen Sie Ihre Texte im Kurs.

3 Meinungen

3.1 Wiederholung: Nebensätze mit *wenn* und *weil* – Schreiben Sie die Sätze im Heft. Zwischen *Wenn/Weil*-Satz und Hauptsatz ist ein •.

1. kann / Wenn / gut Deutsch / ich / , •
   gehe / auf die Abendschule / ich / .
2. bin / nicht gern / ich / in die Schule / Früher / gegangen, •
   die Lehrer / weil / waren / so streng / .
3. lerne / Ich / gern, •
   ein Thema / wenn / mich / interessiert / .
4. auch noch / Mein Freund / Englisch lernen, / will •
   im Beruf / er / Englisch / braucht / weil / .
5. den Schulabschluss / habe, / Wenn / ich •
   will / dann / bei einer Bank / machen / ich / eine Ausbildung / .

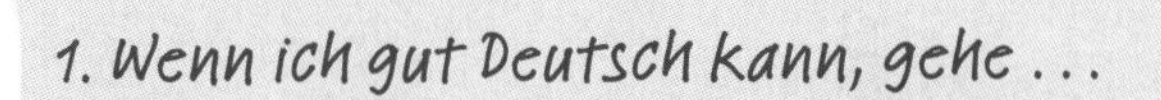
1. Wenn ich gut Deutsch kann, gehe ...

3.2 Nebensätze mit *dass* – Schreiben Sie die Sätze. Der *dass*-Satz beginnt immer nach dem •.

1. Ich / wichtig, / finde • in die Schule / alle Kinder / dass / gehen müssen / .

____

2. Mein Mann / gut, / findet • schreiben / dass / regelmäßig Tests / die Kinder / .

____

3. nicht gut, / Unser Sohn / findet • machen muss / er / dass / so viele Hausaufgaben / .

____

4. auch nicht, / gefällt mir / Es • die Kinder / lernen müssen / zu Hause / noch / dass / .

____

5. Es / richtig, / ist / • die Schule / dass / kostenlos / ist / .

____

6. habe / Ich / gehört, • keine Schuluniform / dass / tragen muss / man / in Deutschland / .

____

7. gut, / Es / ist • nach der Berufsausbildung / gehen kann / dass / man / weiter zur Schule / .

____

8. alle, / meinen / Wir • der Sportunterricht / dass / ist / besonders wichtig / .

____

3.3 Schreiben Sie die Sätze zu Ende. Die Themen bestimmen Sie. Vergleichen Sie im Kurs.

Ich finde, dass ... • Es ist wichtig, dass ... • Es ist gut, dass ... • Ich hoffe, dass ... •
Ich habe gehört, dass ...

Ich finde, dass es in Deutschland zu kalt ist.

4 Berufsausbildung

4.1 Wortfelder *Ausbildung* und *Beruf* – Ordnen Sie zu. Schreiben Sie die Nomen mit Artikel.

~~Abitur~~ • Arbeitszeit • Gehalt • Universität • Gleitzeit • Grundschule • Hausaufgabe • Jahresurlaub • Lehre • Lehrer • Noten • Personalbüro • Schulabschluss • Schulpflicht • Sport • Wochenendarbeit • Betrieb • Büro • Zeitarbeitsfirma • Weiterbildung • Schulfächer • Fortbildung • Überstunden • Stundenlohn

Ausbildung	Beruf
das Abitur	

4.2 Wiederholung: Perfekt – Schreiben Sie die Sätze im Perfekt.

1. Ich gehe nicht in die Schule. *Ich bin nicht in die Schule gegangen.*
2. Ich fahre zum Deutschkurs. ____________________
3. Lea kommt um acht nach Hause. ____________________
4. Frau Rot telefoniert zwei Stunden. ____________________
5. Herr Rot steht um 6 Uhr auf. ____________________
6. Das Telefon klingelt. ____________________
7. Sylvia zieht um. ____________________

4.3 Partizip II – Schreiben Sie die Partizipien von diesen Verben in die Tabelle. Die Wortliste auf Seite 139 hilft.

~~abschließen~~ • anfangen • ~~arbeiten~~ • aufstehen • bekommen • bleiben • ~~besuchen~~ • dauern • fahren • feiern • gehen • heiraten • helfen • kennenlernen • kochen • kommen • machen • nehmen • organisieren • schwimmen • sehen • sein • stehen • studieren • telefonieren • übernehmen • umziehen • weiterbilden • werden

ge-...-(e)t ge-...-en	...-ge-...-(e)t ...-ge-...-en	...-t ...-en
gearbeitet	abgeschlossen	besucht

TIPP Verben immer so lernen: *bleiben, er bleibt, er ist geblieben*

5 Aussprache: Satzakzent – neue Information

3.17 **Hören Sie und markieren Sie die Satzakzente. Sprechen Sie laut.**

1. a In zwei oder drei Jahren / mache ich die Meisterprüfung. //
   Dann / möchte ich / einen eigenen Malerbetrieb haben. //
   b In zwei oder drei Jahren mache ich die Meisterprüfung. //
   Dann möchte ich einen eigenen Malerbetrieb haben. //

2. a Jetzt / bin ich Schwesternschülerin / im zweiten Ausbildungsjahr //
   und möchte dann / Kinderkrankenschwester werden. //
   b Jetzt bin ich Schwesternschülerin im zweiten Ausbildungsjahr //
   und möchte dann Kinderkrankenschwester werden. //

6 Was haben Sie nach der Schule gemacht?

Ergänzen Sie die Fragen mit den passenden Perfektformen.

dauern • gehen • studieren • machen • schreiben • lernen • aussuchen • bezahlen • arbeiten

1. Wie viele Jahre ____________ Sie zur Schule ____________?
2. Was ____________ Sie nach der Schule ____________?
3. ____________ Sie einen Beruf ____________?
4. ____________ du deinen Beruf selbst ____________?
5. Wer ____________ deine Ausbildung ____________?
6. Wie viele Jahre ____________ deine Ausbildung ____________?
7. ____________ Sie viele Tests ____________?
8. ____________ Sie in Ihrem Beruf schon ____________?
9. Wie lange ____________ Sie an der Universität ____________?

BERUFSAUSBILDUNG
REALSCHULE
GRUNDSCHULE

7 Zukunftspläne

7.1 Schreiben Sie die Sätze mit den Zeitangaben wie im Beispiel. Markieren Sie die Verben.

1. Peter macht eine Weiterbildung. (nächsten Monat) — *Peter (macht) nächsten Monat eine Weiterbildung.*
2. Olga geht in Urlaub. (bald) ____________
3. Rainer fängt eine neue Stelle an. (im April) ____________
4. Er arbeitet in Frankfurt. (ab Juni) ____________
5. Sylvia macht keine Überstunden mehr. (im nächsten Jahr) ____________
6. Sie bekommt ein Kind. (im Herbst) ____________
7. Er fährt immer mit dem Fahrrad. (in Zukunft) ____________
8. Er kauft ein neues Fahrrad. (nächste Woche) ____________
9. Frau Kohl macht eine Weiterbildung. (vom 1. bis 8.4.) ____________
10. Wir machen einen Fotokurs. (im Frühling) ____________

7.2 Schreiben Sie die Sätze 1–6 aus 7.1 mit der Zeitangabe am Satzanfang. Markieren Sie die Verben.

1. Nächsten Monat (macht) Peter eine Weiterbildung.

P

7.3 Anzeigen – Lesen Sie zuerst die Aufgaben 1–5 und suchen Sie dann in den Anzeigen A–H: Welche Anzeige passt zu welcher Situation? Für eine Aufgabe gibt es keine Lösung. Kreuzen Sie für diesen Fall X an.

1. Mareike Eckardt ist Deutschlehrerin und will nach Freiburg ziehen. Sie sucht einen Job. ☐
2. Silke Fesen (18) hat gerade das Abitur gemacht. Sie will ein Jahr ins Ausland. ☐
3. Norbert Prang möchte seine Kenntnisse in Computer-Design verbessern. ☐
4. Pjotr Michalak möchte ein Praktikum in einem Fotostudio machen. ☐
5. Heike Bolle ist Studentin und sucht einen Sommerjob. ☐

PRAKTIKUM ONLINE-REISEBÜRO

Wir freuen uns auf Sie! Es erwarten Sie ein moderner Arbeitsplatz im Herzen von Hamburg und ein internationales Team. Als Dauer für ein solches Praktikum sehen wir 4 bis 6 Monate vor. Ihre aussagekräftige E-Mail-Bewerbung (Lebenslauf, Zeugnisse) senden Sie bitte an: bewerbung@hhtour.de

(B)

Wir suchen
Verkaufsprofis
als freie Handelsvertreter.

Wir bieten:
- beste Schulung
- gute Arbeitsbedingungen
- beste Verdienstmöglichkeiten

Wir erwarten:
- Teamfähigkeit
- Erfolgsorientierung
- Computerkenntnisse

E-Mail: info@cotas-bonn.de
Tel: 01 80 / 3 24 96 74

(C)

Wir sind eine **deutschsprachige Familie** und leben seit zehn Jahren in **Wellington, Neuseeland.** Für unsere zwei Kinder (5 und 8) suchen wir schnellstmöglich:

Au-pair-Mädchen/Jungen, Alter 18–20 Jahre.

Wir bieten ein gutes Taschengeld, viel Freizeit und einen Englischkurs.

(D)

Fotografie und Kunst

Sommerakademie
im Haus Weitblick
1.–14. August

10 Abende für anspruchsvolle Fotoamateure – Prof. Valcarcel führt in die Grundlagen der künstlerischen Fotografie ein. Wichtiger Teil der Akademie ist die Besprechung eigener Arbeiten.

Voraussetzung:
Computer, Bildbearbeitungsprogramm, Internet

Kontakt/Anmeldung:
seminare@weitblick.de · Tel. 0721/34689112

(E)

Ist Ihre Muttersprache Deutsch oder Englisch? Wir suchen zum nächstmöglichen Termin zwei LehrerInnen für Englisch und eine/n für Deutsch als Fremdsprache.

Windsor-College-Freiburg
Kontakt: wcf@info.de

(F)

Semesterferien? Sie brauchen Geld?
Sie haben eine gute Telefonstimme?
Wir bieten einen 400-Euro-Job im August/September.
Kein Verkauf!
Interesse? Melden Sie sich per Telefon unter:
0 62 25 / 2 45 83 56 89

(H)

Info-Kolleg-Köln

Die neuen Kurse beginnen am 10. Mai.
- In-Design für Anfänger und Fortgeschrittene
- Pixel-Meister Grundkurs
- Photoshop, Niveau 3

Anmeldung:
Düsseldorfer Straße 23, Tel: 02 21 / 6 94 12 34,
Mail: info@infokolleg.de · www.infokollegköln.de

Reinigungskraft als Teilzeit
(dreimal pro Woche je 3 Stunden)

Sie sind verantwortlich für die Reinigung der Büros (Fußböden, Mülleimer, Bäder, Schreibtische ...)
Sie sind selbstständig, freundlich und zuverlässig?
Dann rufen Sie an: 0 30-8 64 23 70 – oder schicken Sie uns eine Mail: info@limpo.de

8 Pläne und Wünsche für die Zukunft

3.18

8.1 Berufsperspektiven – Sie hören drei Aussagen. Zu jeder Aussage lösen Sie zwei Aufgaben. Kreuzen Sie die richtige Antwort an.

1. Franz Hintermann arbeitet für Radio- und Fernsehsender.

Richtig | Falsch

2. Er hat ...
- [a] kein Abitur gemacht.
- [b] bei einem Fernsehsender gelernt.
- [c] ein eigenes Tonstudio.

3. Sara Weekly hat in Deutschland Kunst studiert.

Richtig | Falsch

4. Was macht sie jetzt?
- [a] Ein Studium in London.
- [b] Eine Ausbildung in Landshut.
- [c] Ein Praktikum bei einem Fotografen.

5. Michael Krüger wollte eigentlich Automechaniker werden.

Richtig | Falsch

6. In ein paar Jahren will er ...
- [a] ein eigenes Café haben.
- [b] einen Partyservice aufmachen.
- [c] Rita heiraten.

8.2 Welche Wörter passen hier? Kreuzen Sie die richtige Lösung an: a, b oder c.

Sehr geehrte Damen und Herren,

in der Zeitung habe ich ① Anzeige für Weiterbildungskurse in Open Office ②. Ich interessiere mich für den Kurs, ③ ich Open Office für ④ Beruf brauche. Aber ich möchte gerne noch ein paar Informationen: Wie viele Stunden hat der Kurs? Wann ist er genau zu Ende und wie viel kostet er? Brauche ich ⑤ eigenen Computer?

Mit freundlichen Grüßen

Regina Jin

1. [a] Deine [b] Ihre [c] Eure
2. [a] gelesen [b] lese [c] liest
3. [a] wenn [b] denn [c] weil
4. [a] seinen [b] deinen [c] meinen
5. [a] einen [b] ein [c] eine

Schwierige Wörter

① Hören Sie und sprechen Sie langsam nach. Wiederholen Sie die Übung.

3.19

Berufsausbildung↗	die Berufsausbildung↗	Wie lange dauert die Berufsausbildung?↗
Zukunftspläne↘	viele Zukunftspläne↘	Sie hat viele Zukunftspläne.↘
Abschlusszeugnis↗	ein Abschlusszeugnis↗	Hast du ein Abschlusszeugnis?↗

② Welche Wörter sind für Sie schwierig? Schreiben Sie drei Lernkarten und üben Sie mit einem Partner / einer Partnerin.

17 Die neue Wohnung

1 Wohnungssuche

3.20–21 **1.1 Lesen Sie die Anzeigen und hören Sie zu. Zu welchen Anzeigen passen die 2 Telefongespräche?**

☐ (A) Wunderschöne, helle Dachwohnung, ca. 85 qm, 3 Zimmer, Küche, Diele, Bad. Kaltmiete 500 Euro. Sehr zentral. Nur an ruhiges Paar oder Einzelperson. Tel. 03 02 / 56 98 69 34

☐ (B) 2-Zimmer-Wohnung, Küche, Bad, Balkon, 65 qm, teilw. möbliert. Kaltmiete 520 Euro, Stellplatz 60 Euro, Nebenkosten 110 Euro. Tel. 0 35 05 / 7 34 51 32

☐ (C) 3-Zimmer-Wohnung, Küche, Diele, Bad, WC, 81,5 qm Wohnfläche, Mietpreis einschließlich NK-Vorauszahlung 730 Euro. Einbauküche muss übernommen werden. VHB 2200 Euro. Tel. 03 01 / 3 03 87 47

3.21 **1.2 Hören Sie Telefonat 2 noch einmal und kreuzen Sie an: a, b oder c.**

1. Frau Stetzer …
- [a] ist die Vermieterin.
- [b] will eine Wohnung mieten.
- [c] hat keine Wohnung.

2. Magda Malewitsch sucht …
- [a] ein Zimmer.
- [b] eine möblierte Wohnung.
- [c] eine billige Wohnung.

3. Magda Malewitsch kann …
- [a] die Küche von Stetzers benutzen.
- [b] die Waschmaschine benutzen.
- [c] bei Stetzers fernsehen.

4. Magda muss …
- [a] alle Möbel neu kaufen.
- [b] einen Küchentisch kaufen.
- [c] keine Vorhänge kaufen.

1.3 Auf eine Anzeige antworten

Dalia und Paul Mbecki haben diese Anzeige in der Zeitung gefunden. Sie schreiben einen Brief an die Chiffrenummer. Ordnen Sie die Elemente und schreiben Sie den Brief.

- ☐ freuen uns auf Ihre Antwort.
- ☐ gern anschauen und
- ☐ in der Ausgabe vom 27. Juli gesehen.
- ☐ Mit freundlichen Grüßen
- ☐ Dalia und Paul Mbecki
- [1] Sehr geehrte Damen und Herren,
- ☐ haben eine kleine Tochter.
- ☐ Wir arbeiten hier in Landshut.
- [2] wir haben Ihre Anzeige
- ☐ Wir möchten die Wohnung
- ☐ Wir sind 27 und 33 Jahre alt und

2-Zimmer-Wohnung, Küche, Diele, Bad, WC, 61,5 qm Wohnfläche. Mietpreis einschließlich NK-Vorauszahlung 680 Euro. Chiffre 10290-2

Dalia & Paul Mbecki
Rennweg 8
84034 Landshut
Telefon (08 71) 90 00 31

Landshuter Zeitung
– Chiffre 10290-2 –
Altstadt 89
84028 Landshut

Sehr geehrte Damen und Herren,

P

1.4 Schreiben Sie einen Brief.

Sie haben eine Anzeige für eine Wohnung gelesen (Chiffre 3867-1).

Schreiben Sie etwas über folgende Punkte:

- Grund für das Schreiben
- Sie möchten die Wohnung ansehen.
- Wie ist Ihre Familiensituation?
- Was arbeiten Sie?

2 Einrichtung

2.1 Möbel – Schreiben Sie die Wörter mit den Artikeln.

1. der Stuhl
2. ____________
3. ____________
4. ____________
5. ____________
6. ____________
7. ____________
8. ____________
9. ____________
10. ____________
11. ____________
12. ____________
13. ____________
14. ____________
15. ____________

2.2 Wiederholung: Komposita – Wie viele Komposita finden Sie? Schreiben Sie wie im Beispiel.

waschen • spülen • essen • schlafen • wohnen • stehen •
die Küchen (*Pl.*) • die Bücher (*Pl.*) • die Kinder (*Pl.*) •
der Tisch • der Schrank • der Sessel • der Kaffee • der Stuhl • die Maschine •
die Lampe • das Zimmer • das Regal

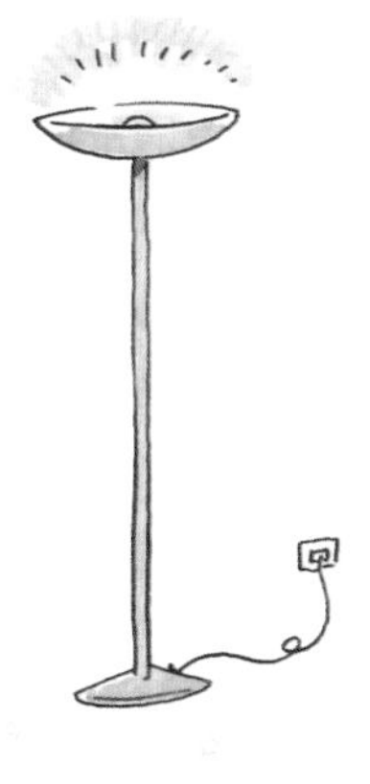

waschen + die Maschine → die Waschmaschine
der Kaffee + die Maschine → die Kaffeemaschine
wohnen + das Zimmer → das Wohnzimmer + der Schrank → der Wohnzimmerschrank

2.3 Lesen Sie die Mitteilung und lösen Sie die Aufgaben 1 und 2.

Biwak
Wohnungsverwaltung
14432 Potsdam

Potsdam, den 30.10.2011

Sehr geehrter Herr Gade,

seit fünf Jahren konnten wir den Mietpreis stabil halten. In dieser Zeit haben sich die Kosten für Reparaturen und Renovierungsmaßnahmen um fast 20 Prozent erhöht. Diese Kosten müssen wir nun zum Teil an unsere Mieter weitergeben. Deshalb werden wir die Miete zum ersten Januar nächsten Jahres anpassen.
Ihr Mietpreis beträgt zurzeit 650 Euro. Hinzu kommt die Nebenkostenpauschale von 125 Euro. Nach der Erhöhung um 10 % beträgt Ihre Miete ab dem 1. Januar 715 Euro. Die Nebenkostenpauschale bleibt bei 125 Euro.
Bitte ändern Sie Ihre Banküberweisung zum Januar entsprechend auf 840 Euro.

Mit freundlichen Grüßen
Ihre Hausverwaltung

1. Im nächsten Jahr ist die Miete höher. Richtig Falsch

2. Herr Gade ...
   a hat fünf Jahre zu wenig Miete bezahlt.
   b muss mehr Nebenkosten bezahlen.
   c zahlt ab Januar mehr als 700 Euro Miete.

3 Toms E-Mail
Bei etwa jedem dritten Wort fehlt die Hälfte. Ergänzen Sie.

VON: tomtom@jadu.de
AN: sylviatritsch@wanadoo.com

Liebe Sylvia,

es hat lange gedauert, aber seit zwei Woc__ __ __ haben Peter u__ __ ich die ne__ __ Wohnung. Er i__ __ gestern einge__ __ __ __ __. Mein Zimmer renov__ __ __ __ __ wir jetzt u__ __ ich ziehe näc__ __ __ __ Woche ein. Me__ __ Zimmer ist sc__ __ __. Ich habe me__ __ Bett rechts an d__ __ Wand gestellt u__ __ davor einen Tisch. Den Schreibt__ __ __ __ habe i__ __ an das Fen__ __ __ __ gestellt. So ha__ __ ich immer vi__ __ Licht beim Ler__ __ __. Auf d__ __ Tisch stelle i__ __ später meinen Comp__ __ __ __. An der rec__ __ __ __ Wand steht e__ __ Regal und i__ __ Regal will i__ __ meine Musikanlage u__ __ auch ein pa__ __ Bücher stellen. Zue__ __ __ wollten wir gar kei__ __ Teppiche a__ __ den Boden le__ __ __, aber nun wi__ __ uns die Vermi__ __ __ __ __ __ einen Tep__ __ __ __ schenken! Sie sa__ __, man hört d__ __ Schritte zu la__ __, wenn kein Tep__ __ __ __ auf dem Bo__ __ __ liegt.

Peter hat eine Kaffee__ __ __ __ __ __ __ __ gekauft. Die haben w__ __ jetzt in d__ __ Küche gestellt. Anfang August mac__ __ __ wir eine Pa__ __ __. Wahrscheinlich am 3. Kommst du? So, und jetzt muss ich weiterarbeiten. Wir tapezieren gerade.

Liebe Grüße
Tom

4 Mäuse in der Küche

4.1 Welche Präposition passt? Markieren Sie.

1. ● Wo ist das Besteck? ○ Es liegt schon **im/am** Schrank oder es ist noch **im / über dem** Karton.
2. ● Wo sind die Blumen? ○ Sie liegen **über/auf** dem Regal oder sie sind schon **in/neben** der Vase.
3. ● Wo sind die Stühle? ○ Sie stehen schon **auf dem / im** Wohnzimmer.
4. ● Hast du meine Brille gesehen? ○ Ich glaube, sie liegt **auf/in** deiner Jacke oder **neben/über** der Zeitung.
5. ● Wo ist mein Handy? ○ Es liegt **zwischen/an** den Zeitungen oder **in/auf** deiner Tasche.
6. ● Ich suche den Schlüssel. ○ Er liegt **in/an** der Küche **zwischen/auf** dem Regal.

4.2 Ergänzen Sie die Artikel im richtigen Kasus.

1. ● Sind die Tassen noch in ______ Spülmaschine? ○ Nein, ich habe sie in ______ Schrank gestellt.
2. ● Bitte setz dich auf ______ Sofa, das ist bequemer. ○ Nein, danke, ich sitze lieber auf ______ Stuhl.
3. ● Hast du die Regale schon an ______ Wand gehängt? ○ Nein, die stehen noch i______ Flur.
4. ● Hast du die Hosen in ______ Waschmaschine gelegt? ○ Nein, sie liegen noch auf ______ Bett.
5. ● Hast du die Schlüssel auf ______ Kühlschrank gelegt? Bitte häng sie an______ Schlüsselbrett.

4.3 Den Tisch decken – Ergänzen Sie die Präpositionen.

Legen Sie zuerst eine Tischdecke ___auf___ den Tisch. Stellen Sie dann die Teller __________ den Tisch. Die Gabel kommt links und das Messer rechts __________ den Teller. Der Esslöffel kommt rechts __________ das Messer und der Dessertlöffel __________ den Teller. Stellen Sie das Glas rechts oben __________ den Teller. Die Serviette können Sie __________ oder rechts __________ den Teller legen.

~~auf~~ • auf • auf • neben • neben • neben • vor • vor

4.4 Wo ist was? Ergänzen Sie die Sätze.

1. Bruno sitzt ___auf dem Sofa___.
2. ______________________ steht eine Vase.
3. __________________ sind Blumen.
4. Die Zeitschriften liegen __________________ der Vase.
5. ____________________ hängt ein Bild.
6. Das Regal hat er links ________________________ gestellt.
7. Die alte Uhr hat er ________________ Tür ________________ Wand gehängt.
8. Sein Hund Max liegt ____________________________.

5 Wohnzimmer

5.1 Adjektive in Paaren lernen – Ergänzen Sie das passende Gegenteil. Probleme?

1. neu	alt	6. dunkel	
2. warm		7. modern	
3. groß		8. schön	
4. eng		9. unpraktisch	
5. günstig		10. gemütlich	

~~alt~~ • altmodisch • hässlich • hell • kalt • klein • praktisch • teuer • ungemütlich • weit

5.2 Wohnungsbeschreibungen – Ordnen Sie zu und schreiben Sie die Sätze.

1. Meine Wohnung ist nicht groß,
2. Die Wohnung ist ziemlich voll,
3. Meine Lieblingsfarbe ist Weiß,
4. Mein liebstes Möbelstück
5. Ich habe kein Bett,
6. Am liebsten bin ich in der Küche,
7. Ich habe keine Badewanne,
8. Ich brauche keine Waschmaschine,

a) ein Sofa. / aber / Nachts ist es ein Bett.
b) auch Blau und Grün. / ich mag / aber
c) ich / da frühstücke / auch immer.
d) es / gibt. / weil / Waschmaschinen / im Keller
e) 60 qm. / sie / nur / hat / denn
f) sehr gut. / ist / meine Dusche / aber
g) habe. / ich / viele Möbel / weil
h) mein Sessel. / ist / Ich habe ihn vom Flohmarkt.

1. + e Meine Wohnung ist nicht groß, denn sie hat nur 60 qm.

5.3 Wiederholung: Nebensätze mit *wenn ..., (dann) ...* – Schreiben Sie die Sätze.

1. heute / zu Ende sein / der Kurs – ich / in die Disco gehen
   Wenn der Kurs heute zu Ende ist, gehe ich in die Disco.
2. Geburtstag haben / ich – ich / euch alle einladen
3. die Prüfung / bestanden haben / wir – wir / ein Fest machen
4. einen Sessel / finden / ich – ich / ihn / sofort kaufen
5. einen Teppich / auf den Boden legen / Sie – ich / die Schritte nicht hören
6. den Schreibtisch / unter das Fenster / stellen / du – du / mehr Licht haben
7. eine Wohnung / mieten / Sie – Sie / den Mietvertrag genau lesen / müssen
8. dir / gefallen / das Bild – du / es behalten / können

6 Aussprache: Rhythmus

3.22

6.1 Markieren Sie den Rhythmus und sprechen Sie laut. Hören Sie zur Kontrolle.

wohnen und Zimmer • • • • •	das Wohnzimmer • • • •
Bücher und Regal	das Bücherregal
Wohnzimmer und Tisch	der Wohnzimmertisch
Miete und Preis	der Mietpreis

6.2 Bilden Sie Komposita und sprechen Sie wie in 6.1.

essen und Tisch • Kinder und Zimmer • schlafen und Zimmer • baden und Zimmer • Teppich und Boden • Dach und Wohnung • Haus und Flur • waschen und Maschine

7 Wünsche

Schreiben Sie die Wünsche mit der *würde*-Form oder mit *hätte* + *gern* ins Heft.

Beruf/Arbeit

1. im Team arbeiten (Jonas).
2. viel im Internet surfen (Peter und Tom).
3. einen sicheren Arbeitsplatz haben (ich).
4. im Ausland arbeiten (du)?
5. eine nette Chefin haben (wir).

Reise/Freizeit

6. ein Ferienhaus haben (ihr)?
7. in den Bergen wandern (Ruth).
8. eine Weltreise machen (Josef und Tim).
9. viel mehr Zeit für ihre Familie haben (Rosa).
10. ein Flugticket nach ... haben (ich).

Jonas würde gern im Team arbeiten.

TIPP Wünsche/Träume drückt man mit der *würde*-Form + *gern* oder mit *hätte* + *gern* aus.

Effektiv lernen

Übungen selbst machen: zwei Beispiele

① Kopieren Sie einen Text aus dem Buch und schneiden Sie ihn in mehrere Teile. Nach drei Tagen nehmen Sie den Text wieder und ordnen ihn. Kontrollieren Sie mit dem Buch.

Meine Familie kommt aus der Türkei und lebt seit über 30 Jahren in Deutschland. Ich bin in

ich heiße, wie ich heiße, und aussehe, wie ich aussehe, bin ich für manche nie einer von ihnen.

Türke? Ist Deutschland meine Heimat oder die Türkei?

Für meine Verwandten in der Türkei bin ich „der Deutsche". Das kann ich verstehen, weil ich ja nur

Deutscher, wenn man den deutschen Pass hat. Auch gut Deutsch sprechen ist nicht genug. Weil

manchmal zu Besuch komme. Aber für viele Deutsche bleibe ich immer „der Türke". Man ist für viele Deutsche noch lange kein

Deutschland geboren und aufgewachsen. Ich habe einen deutschen Pass. Bin ich nun Deutscher oder

② Wenn Ihnen 1 zu einfach ist, können Sie auch Zeitungsartikel nehmen.

Verpackung des Geräts noch daneben. Die Fenster waren verschlossen. Die Polizei geht unter Berufung auf einen Arzt davon aus, dass die Frau an einer Kohlenmonoxid-

Eine Frau hat einen neuen Holzkohlegrill in ihrer Wohnung getestet - und dies mit dem Leben bezahlt. Die 48-Jährige wurde bereits am Mittwoch tot in ihrer Wohnung in Bad Wiessee gefunden, teilte die Polizei am Donnerstag mit. Im Grill lag kalte Asche, die

Frau testet Grill in Wohnung und stirbt

vergiftung starb. Die Mutter der Frau hatte die Polizei alarmiert, nachdem ihre Tochter nicht zu einem Treffen gekommen war.

TIPP Tauschen Sie Ihre Übungen im Kurs.

18 Mobil in der Stadt

1 Verkehrsmittel

1.1 Ergänzen Sie die Sätze mit den passenden Verbformen.

machen • ~~haben~~ • tragen • fahren • kaufen • parken • lesen •
ziehen • finden • aussteigen • benutzen • tanken • bekommen

1. Ich fahre heute mit dem Bus, weil mein Fahrrad einen Platten hat.
2. Beim Fahrradfahren ________________ ich immer einen Helm.
3. Du musst den Radweg ________________. Die Straße ist viel zu gefährlich.
4. Kannst du mir am Bahnhof eine Fahrkarte ________________?
5. Hast du den Fahrplan ________________? Weißt du, wann unser Zug fährt?
6. Sie müssen bei der nächsten Station ________________. Das Rathaus ist dann gleich rechts.
7. Bei uns ________________ die Straßenbahnen meistens pünktlich.
8. Ich habe meinen Führerschein 2007 in den USA ________________. Darf ich hier fahren?
9. Ich ________________ im Parkhaus, weil ich gestern einen Strafzettel ________________ habe.
10. Wenn du hier dein Auto abstellst, musst du am Automaten einen Parkschein ________________.
11. Ich war bei der Tankstelle und habe ________________.
12. Ich fahre immer mit dem Bus in die Stadt, weil man im Zentrum keinen Parkplatz ________________.

Überweisung/Zahlschein

Name und Sitz des überweisenden Kreditinstituts | Bankleitzahl | Den Vordruck bitte nicht beschädigen, knicken,

Begünstigter: Name, Vorname/Firma (max. 27 Stellen)
LHST MÜNCHEN, VERKEHRSÜBERWA
Konto-Nr. des Begünstigten
000 004 7233 701
Kreditinstitut des Begünstigten
STADTSPARKASSE MÜNCHEN
IBAN-Nr. DE 69701500000000047233
BIC: SSKMDEMM
EUR
Betrag: Euro, Cent
Verwarnungsnummer*)
Andere Überweisungen sind mit diesem Vordruck nicht möglich.
Dieser Vordruck wird maschinell verarbeitet. Zusätzliche Angaben sowie Änderung der v
sind nicht möglich. Deshalb gilt diese Überweisung nur für die angegebene Verwarnungs
Kontoinhaber/Einzahler: Name, Vorname/Firma, Ort (max. 27 Stellen, keine Straßen- oder Postfachangaben)
Konto-Nr. des Kontoinhabers

VERWARNUNGSNUMMER:
601426641 9881
KENNZEICHEN:
M PD 1766
SIE HABEN AM
24.06.09
VON/BIS
17:43-17:56 UHR
IN MÜNCHEN,
WINZERERSTR.
GEGENÜBER NR.
43
FOLGENDE OWI BEGANGEN:
SIE PARKTEN IM BEREICH EINES PARKSCHEINA
UTOMATEN OHNE GÜLTIGEN PARKSCHEIN ODER O
HNE DEN PARKSCHEIN VON AUSSEN GUT LESBAR
IM ODER AM FAHRZEUG ANGEBRACHT ZU HABEN
LÄNGER ALS 30 MINUTEN.
ENDE AUF PARKSCHEIN: 17:14
VERWARNUNGSBETRAG:
10 EURO
IM AUFTRAG, A.I. VOD.
IRMER
VR 06 HR 10
MDE-Geräte-Nummer
01040090

Datum, Unterschrift

3.23 P

1.2 Sie hören jetzt Ansagen am Telefon oder per Lautsprecher. Zu jedem Text gibt es eine Aufgabe. Kreuzen Sie die richtige Antwort an.

1. Wann kommt die S-Bahn?
   - [a] In 2 Minuten.
   - [b] In 20 Minuten.
   - [c] In 22 Minuten.

2. Was sollen die Fahrgäste tun?
   - [a] Zu Bahnsteig 3 gehen.
   - [b] Auf Bahnsteig 3 bleiben.
   - [c] Einsteigen.

3. Herr Palme hatte …
   - [a] einen Unfall.
   - [b] einen Termin.
   - [c] ein Problem mit dem Auto.

4. Wann ist das Amt donnerstags auf?
   - [a] Von 9–12 Uhr.
   - [b] Von 9–17 Uhr.
   - [c] Von 12–17 Uhr.

1.3 **Silbenrätsel: Thema „Verkehr" – Schreiben Sie die Nomen mit Artikel. Sie können bis zu 13 Wörter bilden.**

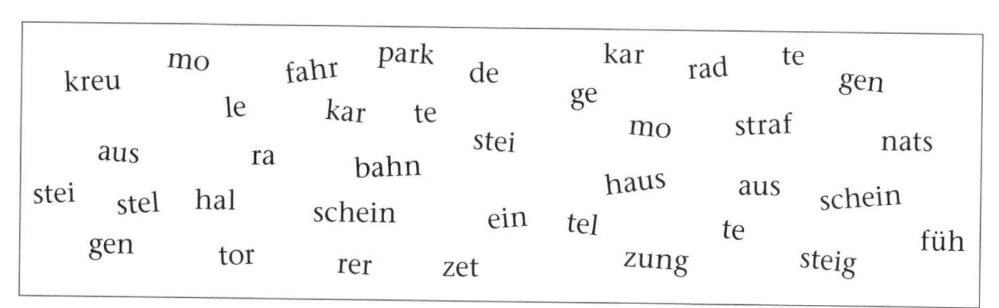

der Bahnsteig

2 Mobilität

P 2.1 **Lesen Sie zuerst die Aufgaben 1–3 und suchen Sie dann die Informationen im Text.**

Monatskarte für Erwachsene

19270248 60002 P

IsarCardAbo - monatliche Zahlung
Kd.Nr. 75045954-1
10 x mtl. 42,00 EUR
Ringe 01-02
01.02.2009 bis
01.03.2010
200907310901

Was hat die Monatskarte zu bieten?
Die Monatskarte berechtigt in den freigegebenen Tarifgebieten zu beliebig vielen Fahrten in allen MVG-Verkehrsmitteln.
Die Monatskarte ist übertragbar. Sie kann von mehreren Personen benutzt werden, aber immer nur eine Person pro Fahrt.

Wie lange gilt die Monatskarte?
Die Monatskarte für Erwachsene gilt vom ersten Gültigkeitstag bis zum gleichen Kalendertag des Folgemonats.
Der Starttermin ist frei wählbar; lediglich am Fahrkartenautomaten gekaufte Fahrkarten gelten immer ab dem Kauftag.

Wo gibt es die Monatskarte?
Die Monatskarte gibt es am Automaten, bei den MVG-Vertriebsstellen und den MVG-Mobilitätszentralen.
Zusätzlich verkaufen einige Verkehrsunternehmen die Monatskarte an der Fahrerkasse im Bus, vor allem wenn die Haltestellen nicht mit Fahrkartenautomaten ausgestattet oder keine Vorverkaufsstellen vorhanden sind.
Außerdem können Sie die Monatskarte über das Internet im ***MVG-TicketShop*** bestellen.

Was kostet die Monatskarte?

1. Die Monatskarte kann nur eine Person benutzen. Richtig Falsch
2. Die Monatskarte gilt z. B. vom 31. Juli bis zum 31. August. Richtig Falsch
3. Die Monatskarte kann man auch im Internet kaufen. Richtig Falsch

P **2.2 Einen Brief schreiben**

Sie wollen eine Monatskarte für die Straßenbahn kaufen. Sie brauchen aber noch ein paar Informationen. Deshalb schreiben Sie eine E-Mail an die Nahverkehrsgesellschaft.

Schreiben Sie etwas über folgende Punkte:

- Grund für Ihr Schreiben
- Gültigkeit von der Karte?
- Kosten?
- Ermäßigung für Schüler/Studenten?

Aber ich habe noch einige Fragen.
Was ist billiger?
Ich bin Schüler/in an der ...schule.
Ich möchte eine ... kaufen.
Kann ich ...?
mit freundlichen Grüßen
Sehr geehrte Damen und Herren,
Wie viel kostet ...?
Von wann bis wann ... gültig?

2.3 Vergleichen und korrigieren Sie Ihre Texte im Kurs.

3 Auto/Fahrrad/Bus ... – Vorteile und Nachteile

3.24 **3.1 Ergänzen Sie den Text. Hören Sie zur Kontrolle.**

Ich bin Lehrerin und wohne in einem kle___ ___ ___ ___ Ort auf d___ ___ Land. Meine Sch___ ___ ___ ist in d___ ___ Stadt, etwa zehn Kilo___ ___ ___ ___ ___ weit weg. I___ ___ würde gern m___ ___ der Straßenbahn in d___ ___ Schule fahren, ab___ ___ das ist to___ ___ ___ umständlich und dau___ ___ ___ ewig. Ich mu___ ___ dreimal umsteigen. Des___ ___ ___ ___ fahre ich m___ ___ dem Auto, d___ ___ geht schneller. Da bra___ ___ ___ ___ ich nur 20 Min___ ___ ___ ___, wenn kein Stau ist. Wenn i___ ___ aber in d___ ___ Stadt einkaufen möc___ ___ ___, dann nehme i___ ___ immer die Straß___ ___ ___ ___ ___ ___ ___. Die fährt dir___ ___ ___ in die Innen___ ___ ___ ___ ___. Und das Par___ ___ ___ kostet ja he___ ___ ___ schon mehr a___ ___ ein Fahrschein. Ja, u___ ___ wenn ich b___ ___ mir im O___ ___ einkaufe, dann ne___ ___ ___ ich fast im___ ___ ___ das Fahrrad. Die Straßen im Dorf hier sind eng und mit dem Auto ist es oft schwer, an den geparkten Autos vorbeizukommen.

3.2 Wiederholung: Nebensätze mit *weil, wenn, dass* – Schreiben Sie die Sätze.

1. Es regnet. Ich fahre immer mit dem Bus.
   Wenn es regnet, fahre ich immer mit dem Bus.
2. Ich finde: Zu viele Leute fahren mit dem Auto.
   ____
3. Ich komme heute mit dem Auto. Mein Fahrrad ist seit gestern kaputt.
   ____
4. Mein Vater benutzt immer das Auto. Er kann schlecht laufen.
   ____
5. Ich habe gehört: Es gibt bald billige Elektroautos.
   ____
6. Das Benzin kostet bald vier Euro pro Liter. Dann fahren weniger Leute Auto.
   ____
7. Viele Leute glauben nicht: In ein paar Jahrzehnten gibt es kein Öl mehr.
   ____
8. Ich fahre nicht gern mit dem Bus. Man muss immer warten.
   ____
9. Ich habe in zwei Jahren ein eigenes Auto. Dann möchte ich eine Europareise machen.
   ____

4 Konsequenzen: *deshalb*

4.1 Gründe und Konsequenzen angeben – Schreiben Sie die Sätze 1–8 mit *deshalb*. Markieren Sie die Verben.

1. Ich habe den Bus verpasst. Ich bin zu spät gekommen.
   Ich (habe) den Bus (verpasst), deshalb (bin) ich zu spät (gekommen).
2. Ich habe eine Monatskarte. Ich fahre immer mit der Straßenbahn.
   ____
3. Unsere Autoversicherung ist zu teuer. Wir wechseln die Versicherung.
   ____
4. Saras Fahrrad hatte einen Platten. Sie konnte bei der Fahrradtour nicht mitfahren.
   ____
5. Ron hatte einen Unfall. Sein Motorrad ist kaputt.
   ____
6. Frau Beckmann ist vorsichtig. Sie fährt immer mit einem Helm.
   ____
7. Wir haben keinen Parkschein gezogen. Wir haben einen Strafzettel bekommen.
   ____
8. Sie lieben Italien. Sie fahren immer nach Italien in den Urlaub.
   ____

3.25

4.2 Mein erstes Auto – Hören Sie die Interviews und kreuzen Sie an: a, b oder c.

Interview 1

- [a] Das Auto hat 1200 DM gekostet.
- [b] Er hat es mit Ferienjobs finanziert.
- [c] Der VW war 18 Jahre alt.

Interview 2

- [a] Sie hat sich mit 21 Jahren ein Auto gekauft.
- [b] Sie hat einen Opel Astra geschenkt bekommen.
- [c] Das Auto ist nie gefahren.

Interview 3

- [a] Er hat das Auto seit 10 Jahren.
- [b] Er hat kein eigenes Auto.
- [c] Er hat das Auto vor vielen Jahren neu gekauft.

5 Aussprache: Viele Konsonanten

3.26

Ergänzen Sie. Hören Sie und sprechen Sie.

Brau<u>chst</u> **du**	Brauchst du noch einen <u>Fahr</u>schein?↗
Benu_______ **du**	Benutzt du heute dein <u>Fahr</u>rad?↗
Schrei_______ **du**	Schreibst du deine A<u>dres</u>se auf?↗
Da_______ **du**	Darfst du hier <u>par</u>ken?↗

6 Autowerkstatt

6.1 Schreiben Sie die Nomen mit Artikel zu den Bildern.

6.2 Lesetraining

Lesen Sie zuerst die Aufgaben 1–5 und suchen Sie dann in den Anzeigen A–H: Welche Anzeige passt zu welcher Situation? Für eine Aufgabe gibt es keine Lösung. Kreuzen Sie in diesem Fall X an.

1. Sie suchen ein billiges Auto. Sie können es selbst reparieren: ________
2. Sie suchen einen kleinen Sportwagen für zwei Personen: ________
3. Ihre Familie hat acht Personen. Sie suchen ein großes Auto: ________
4. Sie brauchen ein Auto, aber Sie haben nicht genug Geld: ________
5. Sie haben lange gespart und suchen ein Auto mit allen Extras: ________

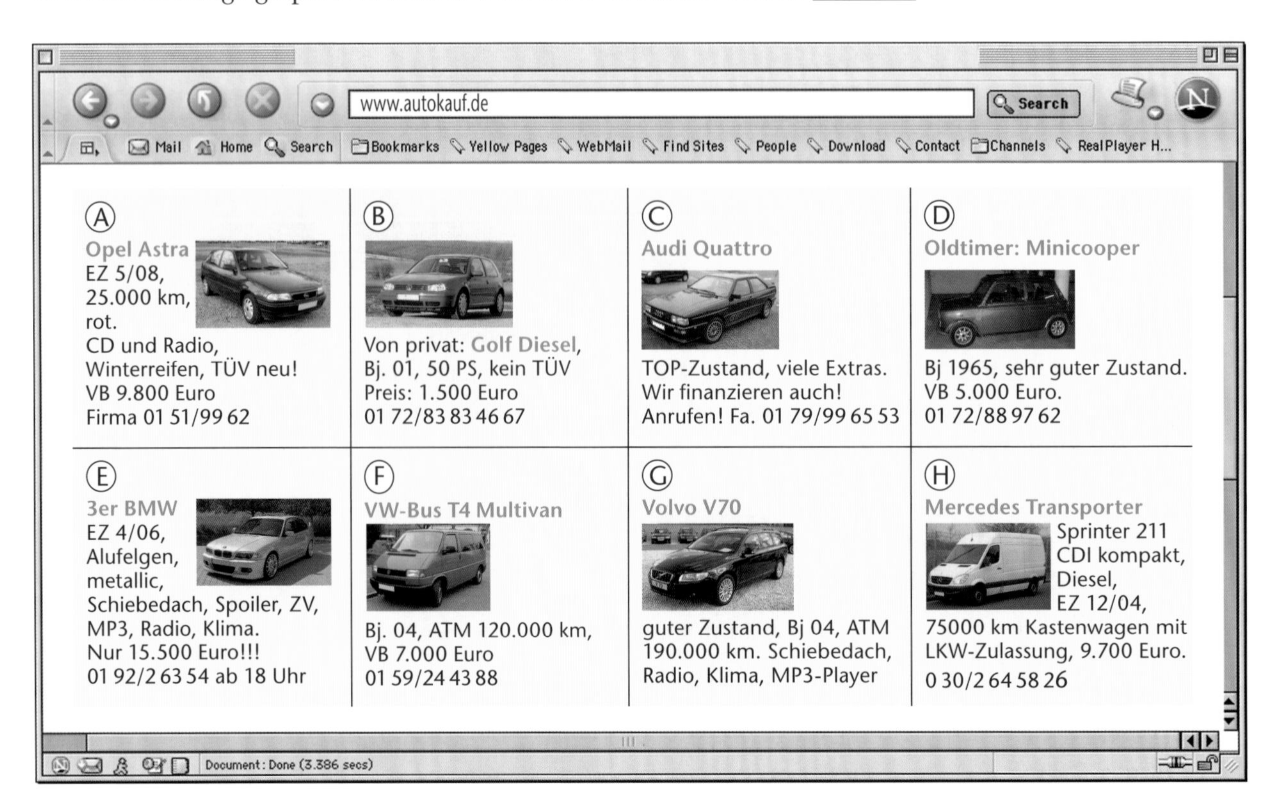

www.autokauf.de
Search
Mail
Home
Search
Bookmarks
Yellow Pages
WebMail
Find Sites
People
Download
Contact
Channels
RealPlayer H...
Ⓐ
Opel Astra
EZ 5/08,
25.000 km,
rot.
CD und Radio,
Winterreifen, TÜV neu!
VB 9.800 Euro
Firma 01 51/99 62
Ⓑ
Von privat: Golf Diesel,
Bj. 01, 50 PS, kein TÜV
Preis: 1.500 Euro
01 72/83 83 46 67
Ⓒ
Audi Quattro
TOP-Zustand, viele Extras.
Wir finanzieren auch!
Anrufen! Fa. 01 79/99 65 53
Ⓓ
Oldtimer: Minicooper
Bj 1965, sehr guter Zustand.
VB 5.000 Euro.
01 72/88 97 62
Ⓔ
3er BMW
EZ 4/06,
Alufelgen,
metallic,
Schiebedach, Spoiler, ZV,
MP3, Radio, Klima.
Nur 15.500 Euro!!!
01 92/2 63 54 ab 18 Uhr
Ⓕ
VW-Bus T4 Multivan
Bj. 04, ATM 120.000 km,
VB 7.000 Euro
01 59/24 43 88
Ⓖ
Volvo V70
guter Zustand, Bj 04, ATM
190.000 km. Schiebedach,
Radio, Klima, MP3-Player
Ⓗ
Mercedes Transporter
Sprinter 211
CDI kompakt,
Diesel,
EZ 12/04,
75000 km Kastenwagen mit
LKW-Zulassung, 9.700 Euro.
0 30/2 64 58 26
Document: Done (3.386 secs)

7 Inspektion

7.1 Ergänzen Sie die Sätze. Es gibt mehrere Möglichkeiten.

~~machen~~ • kontrollieren • prüfen • reparieren • waschen • putzen • wechseln • nachfüllen

1. Der Ölwechsel wird gemacht.
2. Die Bremsen ______ ______.
3. Das Auto ______ ______.
4. Das Licht ______ ______.
5. Die Reifen ______ ______.
6. Das Frostschutzmittel ______ ______.
7. Die Scheibenwischer ______ ______.
8. Die Scheiben ______ ______.

7.2 Schreiben Sie die Sätze 1–8 im Präteritum.

Der Ölwechsel wurde gemacht.

8 Etwas machen lassen

Schreiben Sie wie im Beispiel.

In der Wohnung

1. Die Fenster werden geputzt.
   Ich lasse die Fenster putzen.
2. Die Toilette wird repariert.
   Wir ______
3. Paulas Zimmer wird neu tapeziert.
   Paula ______
4. Die Türen werden gestrichen.
   Müllers ______

Im Büro

5. Die Texte werden korrigiert.
   Der Chef ______
6. Die Briefe werden geschrieben.
   Frau Tim ______
7. Kaffee wird gekocht.
   Dr. Born ______
8. Das Mittagessen wird gebracht.
   Wir ______

Schwierige Wörter

1 Hören Sie und sprechen Sie langsam nach. Wiederholen Sie die Übung.

3.27

Scheibenwischer↘	den Scheibenwischer↘	Ich muss den Scheibenwischer wechseln.↘
Tankstelle↘	eine Tankstelle↘	Ich suche eine Tankstelle.↘
Parkplatzprobleme↘	oft Parkplatzprobleme↘	In der Stadt hat man oft Parkplatzprobleme.↘

2 Welche Wörter sind für Sie schwierig? Schreiben Sie drei Lernkarten und üben Sie mit einem Partner / einer Partnerin.

Hören – Radioansagen

Sie hören fünf Informationen aus dem Radio. Zu jedem Text gibt es eine Aufgabe. Kreuzen Sie an: [a], [b] oder [c]. Sie hören jeden Text **einmal**.

Beispiel

3.28 (0) Welcher Tag ist heute?

- [a] Mittwoch, 21.02.
- [X] Montag, 21.12.
- [c] Samstag, 20.12.

3.29 (1) Wie wird das Wetter morgen?

- [a] Es wird sonnig und warm.
- [b] Es wird schön, aber kalt.
- [c] Es gibt Schnee.

3.30 (2) Was ist das Problem?

- [a] Die Züge aus Freiburg sind nicht pünktlich.
- [b] Die Züge nach München fahren später.
- [c] Man bekommt keine Informationen.

3.31 (3) Wann kommen die nächsten Nachrichten?

- [a] Um 14 Uhr 55.
- [b] In 25 Minuten.
- [c] Um 14 Uhr 25.

3.32 (4) Was kann man gewinnen?

- [a] Karten für ein Fußballspiel.
- [b] Ein Training in einem Fitness-Studio.
- [c] Einen Tennisschläger.

3.33 (5) Wie heißen die Lottozahlen?

- [a] 6 – 16 – 28 – 34 – 47 – 48 Zusatzzahl 12
- [b] 6 – 17 – 26 – 34 – 44 – 48 Zusatzzahl 11
- [c] 6 – 16 – 26 – 34 – 45 – 48 Zusatzzahl 12

Maximale Punktzahl: 5 / Meine Punktzahl: ______

Lesen – Listen/Inventare/Inhaltsangaben

Sie brauchen einige Dinge für Ihre Wohnung und gehen einkaufen.
Lesen Sie die Aufgaben 1–5 und die Information im **Möbelhaus**.
In welches Stockwerk gehen Sie?
Kreuzen Sie an: [a], [b] oder [c].

Wohnland Breitmüller

4	Korb- und Rattanmöbel, Dielen und Garderoben, moderne Klassiker, Bilder, Wohnland-Café
3	Küchen, Badmöbel, Büromöbel, Teppiche und Teppichböden
2	Kinder- und Jugendmöbel, Schlafzimmermöbel, Stilmöbel, Antikmöbel
1	Polster- und Wohnmöbel, Esszimmermöbel, Gardinen und Stoffe
EG	Kleinmöbel, Lampen, Bett-, Bad- und Tischwäsche, Geschirr, Bestecke, Geschenkartikel

Beispiel

(0) Sie brauchen einen kleinen Schrank für Schuhe.
- [X] Erdgeschoss
- [b] 3. Stock
- [c] anderes Stockwerk

(1) Ihre Wohnung hat nicht genug Licht.
- [a] Erdgeschoss
- [b] 2. Stock
- [c] anderes Stockwerk

(2) Ihr Sohn braucht ein Bett.
- [a] Erdgeschoss
- [b] 3. Stock
- [c] anderes Stockwerk

(3) Im Winter ist der Boden im Wohnzimmer zu kalt.
- [a] 1. Stock
- [b] 4. Stock
- [c] anderes Stockwerk

(4) Sie haben ein bisschen Hunger und Durst.
- [a] 3. Stock
- [b] 4. Stock
- [c] anderes Stockwerk

(5) Sie brauchen einen Computertisch.
- [a] 1. Stock
- [b] 3. Stock
- [c] anderes Stockwerk

Maximale Punktzahl: 5 / Meine Punktzahl: ______

Schreiben – Kurze Mitteilung

Am Informationsbrett in Ihrem Haus haben Sie eine Notiz von Familie Grabowski gelesen.
Die Familie ist neu im Haus und lädt alle Nachbarn für Samstag, 26.11., ab 17 Uhr zu einem Fest ein.
Die Familie möchte wissen: Kommen Sie? Und mit wie vielen Personen kommen Sie?
Antworten Sie.

Hier finden Sie vier Punkte. Wählen Sie **drei** aus. Schreiben Sie zu jedem Punkt ein bis zwei Sätze.
Vergessen Sie nicht den passenden Anfang und den Gruß am Schluss.
Schreiben Sie circa 40 Wörter.

In der Prüfung schreiben Sie diesen Teil auf den Antwortbogen.

etwas mitbringen?	mit wem zusammen?
Frage: später kommen?	Dauer

Maximale Punktzahl: 10 / Meine Punktzahl: ______

Sprechen – Gespräche über ein Alltagsthema

Bei diesem Prüfungsteil arbeiten Sie mit einem Partner / einer Partnerin zusammen.
Sie möchten eine bestimmte Information von Ihrem Partner / Ihrer Partnerin. Das Thema heißt *Einkaufen*.
Ziehen Sie eine Karte mit einem Fragezeichen und zwei andere Karten wie z. B.:

Thema: Einkaufen
Können Sie ...?
Können Sie fünf Euro wechseln?
Nein, tut mir leid.
Ja, was brauchen Sie?

und Sie fragen:

Ihr Partner / Ihre Partnerin antwortet vielleicht:

oder:

TIPP Bei der Karte mit dem Fragezeichen können Sie eine freie Frage stellen.

Sprechen Teil 2	Sprechen Teil 2
Thema: Einkaufen	Thema: Einkaufen
Was …?	**Wann …?**

Sprechen Teil 2	Sprechen Teil 2
Thema: Einkaufen	Thema: Einkaufen
Haben Sie …?	**Wo …?**

Sprechen Teil 2	Sprechen Teil 2
Thema: Einkaufen	Thema: Einkaufen
Wie oft …?	**Mit wem …?**

Sprechen Teil 2	Sprechen Teil 2
Thema: Einkaufen	Thema: Einkaufen
…?	**…?**

Maximale Punktzahl: 6 / Meine Punktzahl: ______

TIPPS zur Vorbereitung
1. Sammeln Sie im Kurs: Welche Situationen können in diesem Prüfungsteil vorkommen?
2. Arbeiten Sie in Gruppen: Sammeln Sie Fragen, Aussagen und Wortschatz zu den Situationen.
3. Machen Sie Arbeitsblätter z. B. mit Kärtchen wie hier oben.
4. Korrigieren Sie Ihre Ergebnisse im Kurs und verteilen Sie dann die korrigierten Arbeitsblätter an alle.
5. Üben Sie zu zweit zu Hause und in Gruppen im Kurs.
6. Überlegen Sie im Kurs:
   - Was war gut und wo haben Sie Probleme?
   - Wie können Sie sich helfen?
   - Wer kann Ihnen helfen?

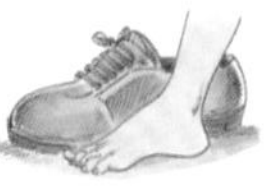

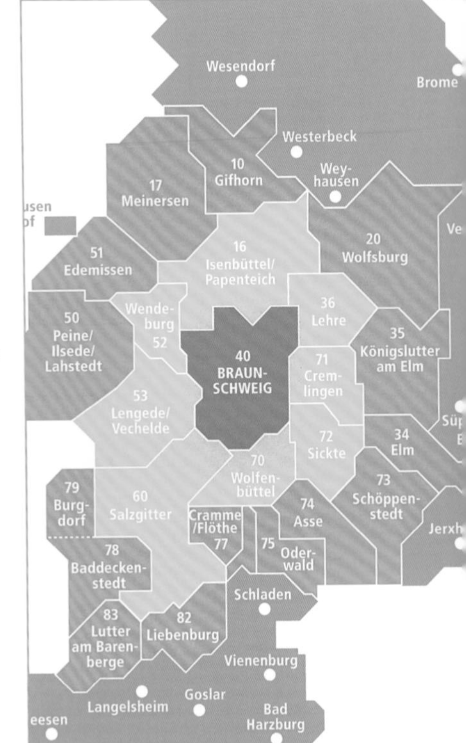

Herren	Europa	USA	UK	Land	Brust-umfang	Taillen-umfang	Hüft-umfang
	50	40	M		98–101	86–89	102–105
	52	42	L		102–105	90–94	106–109
	...						

Im Alltag EXTRA

They don't like riding horses

Bei Schwarzfahrern sehen wir rot.
Und Sie zahlen 40 EURO!

Im Alltag EXTRA

Sprechen, sprechen ...

Etwas umtauschen

Üben Sie jeden Dialog mit einem Partner / einer Partnerin.

1
- ● Guten Morgen. Ich möchte diese Schuhe umtauschen. Sie sind ein bisschen zu groß. Ich brauche Größe 43.
- ○ Diese Schuhe sind nur noch in Größe 40 da.
- ● Dann möchte ich gerne mein Geld zurück.
- ○ Das geht leider nicht, aber ich kann Ihnen einen Gutschein geben. Haben Sie Ihren Kassenzettel?
- ● Hier, bitte.

2
- ● Guten Tag, ich möchte diesen Pullover umtauschen. Er gefällt meiner Tochter nicht.
- ○ Haben Sie den Kassenbon noch?
- ● Äh, nein. Den habe ich verloren.
- ○ Dann können wir Ihnen leider nicht helfen.
- ● Aber ...

Überlegen Sie: Warum tauschen Sie Waren wieder um? Sammeln Sie Gründe. Spielen Sie eigene Dialoge nach dem Muster oben.

Ich möchte die Schuhe umtauschen.	Welche Größe brauchen Sie?
Ich brauche Größe 42.	Es ist nur noch Größe 36 da.
Ich möchte bitte mein Geld zurück.	Haben Sie den Kassenzettel/Kassenbon noch?
	Sie bekommen einen Gutschein.

WICHTIG Umtausch- und Rückgaberecht
Ist die Ware nicht in Ordnung? Dann können Sie sie zurückgeben. Wichtig ist der Kassenzettel.
Gefällt Ihnen die Ware nicht? Dann **kann** der Händler die Ware umtauschen.
Haben Sie die Ware per Katalog, Telefon, E-Mail oder an der Haustür gekauft? Sie können die Ware innerhalb von 14 Tagen zurückgeben.

Wann ist man in Deutschland „richtig" angezogen?

Ordnen Sie zu und finden Sie weitere Beispiele: Was haben Sie bei Deutschen beobachtet? Was ist für Sie richtig?

in Shorts	auf einer Party
in Jeans und T-Shirt	beim Vorstellungsgespräch
im Anzug	beim Elternabend
im Jogginganzug	im Deutschkurs
im frisch gebügelten Hemd	im Konzert
im Kostüm	am Frühstückstisch
im Schlafanzug	beim Sport im Park
...	...

Vielen Deutschen ist es egal, wie sie aussehen. Hauptsache, bequem.

Das ist bei uns ganz anders ...

Diskutieren Sie: Wie ist es in Deutschland, wie in anderen Ländern?

Papiere, Papiere …

Rücksendegründe

Sie haben ein Kleidungsstück bestellt, wollen es aber zurückschicken. Sie können den Rücksendegrund angeben.

Größe passt nicht: zu klein
01 Oberweite zu eng
02 Taille zu eng
03 Hüfte zu eng
04 Ärmel zu kurz
05 Hosenbeine zu kurz
06 Schuh zu klein
07 zu kurz

Größe passt nicht: zu groß
11 Oberweite zu weit
12 Taille zu weit
13 Hüfte zu weit
14 Ärmel zu lang
15 Hosenbeine zu lang
16 Schuh zu groß
17 zu lang

Ware gefällt mir nicht:
21 Kleidungsstück passt nicht
22 Farbe/Muster gefällt nicht
23 Artikel steht mir nicht
24 Ich habe für diesen Preis etwas Besseres erwartet.

Ware fehlerhaft/defekt:
31 Materialfehler
32 verschmutzt/zerknittert
33 defekt/beschädigt

Schicken Sie diese Kleidungsstücke zurück. Geben Sie je zwei Rücksendegründe an.

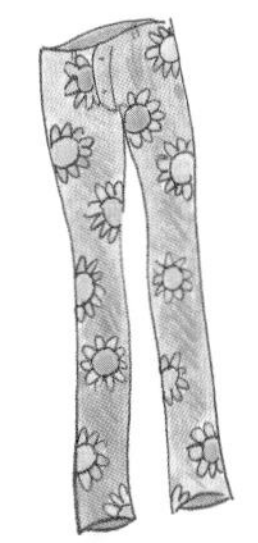
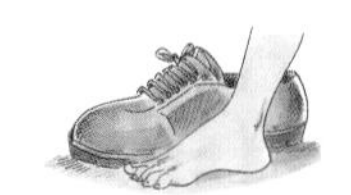

Rücksendegründe

Kleidergrößen – international

Umrechnung von Konfektionsgrößen

Recherchieren Sie Größen im Internet und machen Sie Tabellen.

1. Kinder-Bekleidung 2. Damen-Bekleidung 3. Herren-Bekleidung

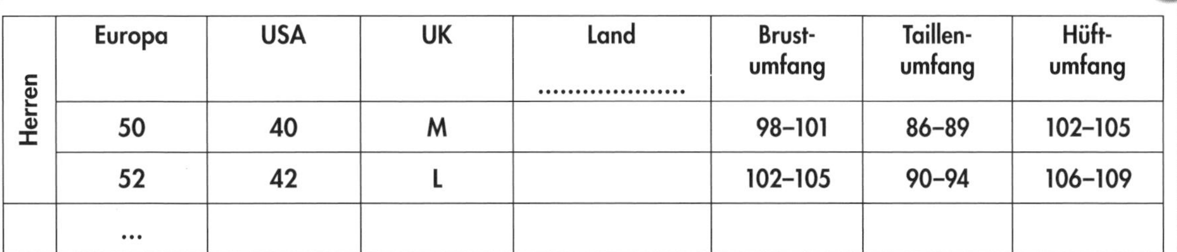

Herren	Europa	USA	UK	Land …………………	Brustumfang	Taillenumfang	Hüftumfang
	50	40	M		98–101	86–89	102–105
	52	42	L		102–105	90–94	106–109
	…						

TIPP Umrechnungstabellen finden Sie im Internet unter www.jumk.de/konfektionsgroessen.

Sprechen, sprechen ...

Auf dem Standesamt

Lesen Sie die Dialoge mit verteilten Rollen.

1

● Guten Tag. Wir möchten heiraten.
○ Wann soll denn die Trauung sein?
● Die Hochzeit ist im nächsten Jahr, am 23. September.
○ Da kann ich Ihre Anmeldung noch nicht annehmen.
● Ach? Das geht noch nicht?
○ Nein ...

2

● Guten Tag. Wir möchten eine Heirat anmelden.
○ Sind Sie beide Deutsche?
● Nein, ich bin aus Finnland.
○ Dann brauchen wir noch ein Ehefähigkeitszeugnis.
● Das habe ich noch nie gehört. Was ist denn das?
○ Das ist ...

3

● Guten Tag. Wir möchten heiraten. Wir haben unsere Unterlagen schon mitgebracht.
○ Lassen Sie mal sehen. Also, hier haben wir Ihren Reisepass, die Aufenthaltsbescheinigung ... Was ist das für ein Formular?
● Meine Geburtsurkunde aus der Türkei. Brauchen Sie die nicht?
○ Doch, doch. Aber nicht auf Türkisch. Für die Eheschließung brauchen wir ...

Lesen Sie den Infokasten. Erklären Sie den Personen in 1–3 das Problem.

INFO Heiraten

Gehen Sie zum **Standesamt** in der Stadt oder dem Bezirk, wo Sie oder Ihr Freund / Ihre Freundin gemeldet sind. Sie können sich **sechs Monate** vor der Heirat anmelden. Sie brauchen als Immigrant/in ein **Ehefähigkeitszeugnis** aus Ihrem Heimatland. In dieser Bescheinigung steht z. B., dass Sie nicht schon verheiratet sind. Wo haben Sie in Ihrem Heimatland zuletzt gelebt? Dort bekommen Sie das Ehefähigkeitszeugnis.
Ihre Dokumente müssen Sie **mit einer deutschen Übersetzung** vorlegen. Bringen Sie die Dokumente in ein offizielles Übersetzungsbüro.
Gleichgeschlechtliche Paare können in Deutschland eine **Lebenspartnerschaft** eintragen lassen. Immigranten brauchen dazu eine **Ledigkeitsbescheinigung** aus dem Heimatland.

Schreiben Sie den Dialog und spielen Sie ihn mit einem Partner / einer Partnerin. Wechseln Sie die Rollen.

Partner 1	Partner 2
Guten Tag, spreche ich mit dem Standesamt?	Ja. Was kann ...?
Wir möchten ...	Wann ...?
In ... Monaten.	Sind Sie beide ...?
Nein. Mein Freund kommt aus ...	Dann brauchen wir ein ...
Woher ...?	Sie bekommen ...

Papiere, Papiere ...

Antrag auf Eheschließung

Überlegen Sie sich eine Person. Beantworten Sie dazu folgende Fragen:

- Wie heißt die Person?
- Welche Staatsangehörigkeit hat sie?
- Ist sie ledig, geschieden oder verwitwet?
- Hat sie Kinder?
- Haben die Eltern in Deutschland geheiratet? Wann und wo?
- Ist die Person volljährig?
- Spricht sie Deutsch? Wie gut?

Unsere Person heißt Nino.
Er kommt aus Georgien.
Er war schon einmal verheiratet ...

Füllen Sie das Formular für die Person aus. Überlegen Sie sich auch einen deutschen Ehepartner.

Verlobter (Mann)	Verlobte (Frau)
Familienname ______	Familienname ______
Vorname ______	Vorname ______
Staatsangehörigkeit ☐ deutsch ☐ ______	Staatsangehörigkeit ☐ deutsch ☐ ______
Familienstand ☐ ledig ☐ geschieden ☐ verwitwet	Familienstand ☐ ledig ☐ geschieden ☐ verwitwet
Anzahl der Vorehen: ______ Anzahl der Kinder: ______	Anzahl der Vorehen: ______ Anzahl der Kinder: ______
Heirat der Eltern in Deutschland? ☐ ja ☐ nein Tag und Ort der Eheschließung der Eltern: ______	Heirat der Eltern in Deutschland? ☐ ja ☐ nein Tag und Ort der Eheschließung der Eltern: ______
Volljährig? ☐ ja ☐ nein	Volljährig? ☐ ja ☐ nein
Sprechen Sie Deutsch? ☐ ja ☐ etwas ☐ nein	Sprechen Sie Deutsch? ☐ ja ☐ etwas ☐ nein

☐ Wir sind **nicht** miteinander verwandt.
☐ Wir sind **keine** Geschwister oder Halbgeschwister.
☐ Wir sind darüber unterrichtet, dass falsche oder unvollständige Angaben als Ordnungswidrigkeit oder Straftat verfolgt werden und zur Aufhebung der Ehe führen können.

Heiraten – international

Erzählen Sie.

Wie lange dauert eine Hochzeit in ...?
Gibt es einen besonderen Brauch?
Gibt es eine Mitgift?
Wo heiratet man (Standesamt, Kirche, Moschee, Synagoge, Tempel ...)?
Behalten die Ehepartner ihre Namen?

Sprechen, sprechen ...

Eine Niederlassungserlaubnis beantragen

Üben Sie jeden Dialog mit einem Partner / einer Partnerin.

1

● Ich möchte eine Niederlassungserlaubnis beantragen. Wo bekomme ich den Antrag?
○ Hier bei mir. Haben Sie Ihren Ausweis dabei?
● Ja, hier bitte.
○ Ah, Sie haben seit fünf Jahren eine Aufenthaltserlaubnis. Arbeiten Sie?
● Ja, hier bei der Firma Schott.
○ Sie sprechen gut Deutsch. Haben Sie einen Kurs besucht?
● Ja, einen Integrationskurs.

2

● Ich brauche von Ihnen noch zwei aktuelle Passfotos.
○ Ja, die bringe ich mit.
● Ich brauche Ihren Arbeitsvertrag und die letzte Lohnbescheinigung.
○ O. k.
● Dann noch den ...

Spielen Sie den Dialog weiter. Der Kasten unten hilft.

Haben Sie ... dabei? Ich brauche von Ihnen noch ... Wir benötigen noch ... Bringen Sie bitte noch ... mit. Geben Sie bitte noch ... ab.	Ihren Arbeitsvertrag die letzte Lohnabrechnung Ihren Mietvertrag Ihre Versichertenkarte das B1-Zeugnis ein polizeiliches Führungszeugnis eine Schulbescheinigung

Bitte bringen Sie alle Nachweise im Original und in Kopie mit.

Schreiben Sie Kärtchen. Ziehen Sie ein Kärtchen und spielen Sie Dialoge auf der Ausländerbehörde.

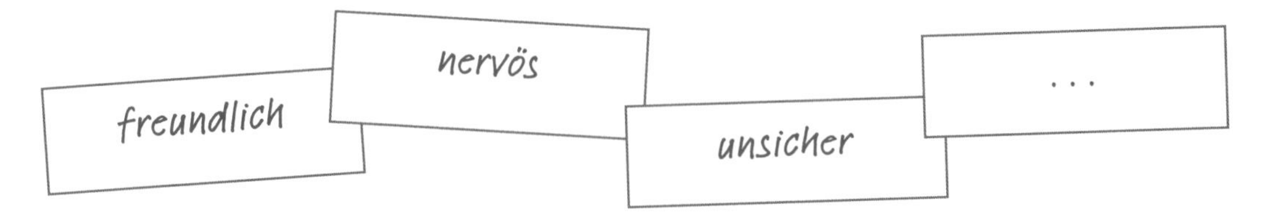

INFO Für eine Niederlassungserlaubnis müssen Sie **ausreichenden Wohnraum** nachweisen. Für jedes Familienmitglied über sechs Jahren muss die Wohnung zwölf Quadratmeter haben, für jedes Familienmitglied unter sechs Jahren muss sie zehn Quadratmeter haben.

Rechnen Sie aus: Wie groß muss die Wohnung für diese Familien sein?

Familie 1: ein Erwachsener und zwei Kinder unter sechs Jahren _____ m^2

Familie 2: zwei Erwachsene mit zwei Kindern über sechs Jahren _____ m^2

Familie 3: fünf Erwachsene, drei Kinder unter sechs und ein Kind über sechs Jahren _____ m^2

Papiere, Papiere ...

Antrag auf Erteilung einer Niederlassungserlaubnis

Meral Efe ist am 2. Oktober 26 Jahre alt geworden. Sie ist verheiratet. Ihr Ehemann Mustafa ist genau zwei Monate älter als sie. Er wohnt noch in der Türkei, kommt aber nach, wenn Meral die Niederlassungserlaubnis hat. Meral wohnt in einer 2-Zimmer-Wohnung mit 46 m². Sie arbeitet in der Altenpflege und verdient monatlich 1200 Euro. Sie hat bei der AWO den Integrationskurs besucht und auch den Orientierungskurs abgeschlossen.

Füllen Sie das Formular für Meral Efe aus.

Sollen Familienangehörige nachkommen? ☐ nein ☐ ja, die folgende(n) Person(en)		
Familienname (ggf. Geburtsname)	Vorname	Geburtsdatum
Efe		

Wie wohnen Sie?	
Anzahl der Zimmer	
Gesamtgröße in m²	

Ist Ihr Lebensunterhalt gesichert?	☐ nein ☐ ja
Höhe der Einkünfte in €	Art der Erwerbstätigkeit
Beziehen Sie oder eine unterhaltsberechtigte Person Sozialleistungen?	☐ nein ☐ ja
Familien- und Vorname der betreffenden Person	Art der Sozialleistung

Verfügen Sie über deutsche Sprachkenntnisse? Sind Sie in der Lage, deutsche Texte zu lesen, zu verstehen und mündlich zu wiederholen – auch diesen Antrag?	☐ nein ☐ ja, erworben durch
	Bezeichnung des Kurses und der Bildungseinrichtung
☐ Basissprachkurs	
☐ Aufbausprachkurs	

Haben Sie Grundkenntnisse der Rechts- und Gesellschaftsordnung und der Lebensverhältnisse in der Bundesrepublik Deutschland?	☐ nein ☐ ja, erworben durch die Teilnahme an einem Orientierungskurs
Bezeichnung des Kurses und der Bildungseinrichtung	

Behördensprache		Alltagssprache
Ist Ihr Lebensunterhalt gesichert?	=	Verdienen Sie genug Geld?
Beziehen Sie Sozialleistungen?	=	Bekommen Sie Geld vom Staat?
Verfügen Sie über deutsche Sprachkenntnisse?	=	Sprechen Sie Deutsch?
Sind Sie in der Lage, deutsche Texte zu lesen?	=	Können Sie deutsche Texte lesen?

Projekt: Mein Kontakt mit Deutschen

Haben Sie Kontakt mit Deutschen? Kreuzen Sie an und sprechen Sie im Kurs. Überlegen Sie: Wie kann man den Kontakt verbessern?

☐ viel ☐ mittel ☐ wenig ☐ gar keinen

Ich fahre Taxi. Ich habe viel Kontakt mit Deutschen.

Sprechen, sprechen ...

Gespräche mit der Lehrerin

Lesen Sie die Dialoge und spielen Sie sie.

1

Lehrerin: Schön, dass Sie gekommen sind!
Mutter: Kommt Anatol in der Klasse gut mit?
Lehrerin: Ich sehe keine Probleme.
Mutter: Ist er ...?

Sammeln Sie weitere Fragen.

2

Eltern: Wir möchten, dass Ying aufs Gymnasium geht.
Lehrerin: Ich weiß nicht. Sie macht noch einige Fehler im Deutschen. Und im Gymnasium muss sie viel schreiben.
Eltern: Aber Ying ist sehr gut in Mathematik.
Lehrerin: Ying ist ...

Die Lehrerin sagt:

- Ying ist sehr still.
- Sie stellt keine Fragen.
- Sie sagt nicht deutlich ihre Meinung.
- Sie muss noch besser Deutsch lernen.

Was antworten Yings Eltern?

3

Lehrer: Frau Gilani, ich möchte mit Ihnen über Denis sprechen.
Mutter: Was ist denn mit ihm?
Lehrer: Ich bin nicht so ganz zufrieden mit ihm und habe ein paar Fragen an Sie. Erst einmal: Wann geht Denis ins Bett?
Mutter: ...

Der Lehrer fragt:

- Wann geht Denis morgens aus dem Haus?
- Was geben Sie ihm für die Pause mit?
- Wo macht er seine Hausaufgaben?
- Wann packt er seine Schultasche?

Was antwortet die Mutter von Denis?

Was meinen Sie: Was soll Denis tun? Welche Tipps gibt der Lehrer der Mutter von Denis?

WICHTIG Eltern haben **Rechte** und **Pflichten**.
Die Schule muss die Eltern über alle wichtigen Dinge informieren. Dafür gibt es Elternabende und Elternsprechtage. Die Lehrer müssen die Eltern beraten. Die Eltern müssen sich um die Erziehung ihrer Kinder kümmern. Sie müssen ihre Kinder in die Schule schicken und die Schule unterstützen. Eltern und Schule sollen Partner sein.

In Deutschland helfen viele Eltern in der Schule ihrer Kinder.
Was möchten Sie gerne tun? Sammeln Sie Ideen und sprechen Sie im Kurs.

Ich möchte ... / Ich kann ...
... einen Kuchen für das Schulfest backen.
... einen neuen Spielplatz bauen.
... auf eine Klassenfahrt mitkommen.
... nach einem Fest aufräumen.
... ins Schwimmbad mitkommen.
...

Papiere, Papiere ...

Anmeldung in der Schule

Was bedeuten diese Wörter?

Staatsangehörigkeit • Religionszugehörigkeit • Verkehrssprache • Erziehungsberechtigte • Migrationshintergrund • Geburtsland

Erfinden Sie ein Kind. Beantworten Sie dazu folgende Fragen:

- Wie heißt das Kind?
- Welche Religion hat es?
- Soll das Kind am Religionsunterricht teilnehmen?
- Welche Staatsangehörigkeit hat es?
- Wo ist das Kind geboren?
- Welche Sprache(n) spricht das Kind in seiner Familie?
- Wie heißen die Eltern?
- Wo sind die Eltern geboren?
- Wer erzieht das Kind?

Das Kind ist ein Mädchen und heißt Larissa. Sie kommt in die dritte Klasse. ...

Füllen Sie das Formular für das Kind aus.

Hiermit melde ich meinen Sohn / meine Tochter zum _____ 20__ für die Klasse _____ an.		
Name des Kindes:	Vorname(n):	
Anschrift: Postleitzahl, Ort, Straße		Telefon:
E-Mail-Adresse:		Mobiltelefon:
Geburtsdatum:	Geburtsort:	Staatsangehörigkeit:
Religionszugehörigkeit: ev. ☐ rk. ☐	Wenn ohne Religionszugehörigkeit oder anderer Konfession als evangelisch oder römisch-katholisch, soll das Kind am Religionsunterricht teilnehmen? Wenn ja, an welchem? ev. ☐ rk. ☐	
Migrationshintergrund: Ja ☐ Nein ☐	Wenn ja, Geburtsland:	Zuzugsjahr:
Geburtsland der Mutter:	Geburtsland des Vaters:	Verkehrssprache in der Familie:
Daten Erziehungsberechtigte:	Art der Erziehungsberechtigung: Eltern gemeinsam ☐ Vater ☐ Mutter ☐ Sonstige ☐	
Name:	Vorname(n):	

Schule – international

Überlegen Sie: Was wissen Sie über die Schulen in Deutschland? Sammeln Sie und ergänzen Sie die Liste.

- In Deutschland tragen die Kinder keine Schuluniformen.
- Man darf Kinder nicht schlagen.
- Die Noten sind 1 bis 6. Eine 1 bedeutet „sehr gut".
- ...

Bei uns ist das anders. Die Lehrer ...

Sprechen, sprechen ...

Gespräch mit Nachbarn

Spielen Sie die Dialoge mit einem Partner / einer Partnerin. Wie gehen die Dialoge weiter?

1

- ● Hallo, Frau Soltani.
- ○ Guten Tag, Frau Eberhard. Wie geht's?
- ● Danke, gut. Ich habe eine Bitte: Am Montag kommt der Heizungsableser. Ich bin leider nicht zu Hause. Könnten Sie ihn hereinlassen?
- ○ Ja, sicher, ich habe ja Ihren Schlüssel.
- ● ...

2

- ● Guten Morgen, Frau Sommer. Mein Name ist Kulitsch. Ich wohne unter Ihnen.
- ○ Hallo. Was möchten Sie denn?
- ● Ich habe ein Problem. Ich habe einen Wasserfleck an der Decke.
- ○ Einen Wasserfleck?
- ● An der Decke im Badezimmer. Ist bei Ihnen ein Abfluss undicht?
- ○ ...

3

- ● Guten Abend, Herr Kojak.
- ○ Hallo, Frau Möller. Was gibt's?
- ● Sie haben am Wochenende schon wieder nicht die Treppe geputzt.
- ○ Ach, das habe ich glatt vergessen.
- ● Und Ihr Hund hat wieder ...
- ○ Frau Möller, bitte regen Sie sich doch nicht so auf. Ich ...
- ● ...

Überlegen Sie gemeinsam: Wie kann man die Probleme lösen?

1. Frau Soltani hat am Montag doch keine Zeit. Was kann Frau Eberhard tun?
2. Frau Sommer schlägt die Tür wieder zu. Was kann Herr Kulitsch tun?
3. Herr Kojak putzt wieder nicht die Treppe. Wie kann man den Konflikt lösen?

Das Problem ist: ...	Die Lösung ist: Er/Sie kann/muss ... ... eine andere Nachbarin fragen. ... den Nachbarn / die Nachbarin zum Kaffee einladen. ... mit dem Hausmeister/Vermieter sprechen. ...

INFO Haustiere
Hunde, Katzen, Hamster, Vögel ... sind nicht in allen Wohnungen erlaubt. Lesen Sie Ihren Mietvertrag.

Wohnen in Deutschland: Was gefällt Ihnen? Was gefällt Ihnen nicht? Diskutieren Sie.

Ich finde die Gärten schön.
Ich mag die alten Häuser.
Mein Haus hat einen Keller. Das finde ich gut.
...

Ich finde ... schön.	Ich auch. / Ich nicht.
Ich mag ...	
Das gefällt mir.	Mir auch. / Mir nicht.

Papiere, Papiere ...

Mieterselbstauskunft

Hussein Masri ist 45 Jahre alt. Er möchte mit seiner Freundin zusammenziehen und interessiert sich für die Wohnung in der Gartenstraße. Herr Masri arbeitet als Informatiker bei Lufthansa. Er hat eine feste Stelle und verdient monatlich 2300 Euro netto. Er muss im Monat 900 Euro Unterhalt für seine geschiedene Frau zahlen. Der Vermieter möchte viel über Hussein Masri wissen.

Füllen Sie die Selbstauskunft für Hussein Masri aus. Überlegen Sie: Hat Herr Masri Kinder? Raucht er? Hat seine Freundin einen Hund? ... Ergänzen Sie die Informationen.

Für die Wohnung *Gartenstraße 75, 12345 Düsseldorf, EG links* erteilt/erteilen der/die Mietinteressent(en) dem Vermieter folgende freiwillige und wahrheitsgemäße Selbstauskunft:

	Mietinteressent/in	**Mitmieter/in**
Name Vorname(n) Geburtsdatum Familienstand	....	....
derzeit ausgeübter Beruf		
Beschäftigungsverhältnis	☐ angestellt ☐ selbstständig	☐ angestellt ☐ selbstständig
derzeitiger Arbeitgeber		
monatl. Nettoeinkommen	€	€
monatl. Zahlungsverpflichtungen (z. B. Unterhalt)	☐ nein ☐ ja, €	☐ nein ☐ ja, €

Anzahl der Personen, die die Wohnung nutzen: .... Erwachsene, ... Kinder, Alter: ..../..../....

☐ Ich habe / Wir haben folgende Haustiere: ....

☐ Ich spiele / Wir spielen folgende Musikinstrumente: ....

☐ Ich bin / Wir sind Raucher.

☐ Ich will / Wir wollen keine weiteren Personen in die Wohnung aufnehmen oder eine Wohngemeinschaft gründen.

☐ Ich kann / Wir können eine Kaution von 3 Monatsmieten und die monatliche Miete bezahlen.

Projekt: Unsere Nachbarn

Malen Sie Ihre Nachbarin / Ihren Nachbarn und schreiben Sie Gedanken auf. Was finden Sie gut? Was stört Sie? Sprechen Sie über Probleme mit Nachbarn. Wie können Sie das Verhältnis verbessern?

Ich finde ... gut. Ich finde gut, dass ...	Ich finde ... nicht so gut. Ich habe ein Problem mit ... Das stört mich.
Vielleicht kann ich ...	Ich möchte ...

Meine Nachbarin heißt Rosa Buhl. Sie ...

INFO Finden Sie es schwierig zu sagen, was Sie stört? Deutsche sind oft sehr direkt. Sie reagieren aber nicht immer freundlich, wenn andere direkt sind.

Sprechen, sprechen ...

Bußgeld: Pech gehabt

Lesen Sie die Dialoge. Spielen Sie sie mit unterschiedlichen Stimmen (streng, wütend, schüchtern, sachlich ...).

1
- ● Sie stehen im Parkverbot. Das macht 15 Euro.
- ○ Aber ich habe doch nur fünf Minuten geparkt!
- ● Tut mir leid. Hier brauchen Sie einen Parkschein.
- ○ Das kann doch nicht wahr sein!

2
- ● Bitte halten Sie an.
- ○ Ja, worum geht es denn?
- ● Sie dürfen hier nicht fahren. Dies ist ein Fußgängerweg.
- ○ Aber ich bin nur kurz ...
- ● Hier müssen Sie Ihr Fahrrad schieben. Das kostet leider 10 Euro.
- ○ Oh nein!

3
- ● Die Fahrausweise, bitte. ... Ihre Monatskarte ist abgelaufen. Das macht dann 40 Euro.
- ○ Aber ich habe eine Karte! Ich bin doch kein Schwarzfahrer!
- ● Ihre Karte ist seit gestern ungültig. Sie können morgen die neue Monatskarte vorzeigen und müssen dann nur 10 Euro Gebühr zahlen.

Bei Schwarzfahrern sehen wir rot.
Und Sie zahlen 40 EURO!

WICHTIG Wenn Sie zu Unrecht einen Bußgeldbescheid oder eine Verwarnung bekommen haben, können Sie erst mal Einspruch einlegen. Weitere Beratung bekommen Sie bei einem Rechtsanwalt. Ein Anwalt ist aber nicht kostenlos und es kann sehr teuer werden.

Bußgeld für Autofahrer – Was stimmt? Kreuzen Sie an.

Verstoß	1	2
A Ein Kind fährt im Auto mit und ist nicht angeschnallt.	☐ 10 Euro	☐ 40 Euro
B In einem Ort 21 bis 25 Stundenkilometer zu schnell fahren	☐ 50 Euro	☐ 80 Euro
C Eine Sekunde nach dem Umspringen der Ampel über Rot fahren	☐ 30 Euro	☐ 90 Euro
D Unberechtigt auf einem Schwerbehinderten-Parkplatz parken	☐ 35 Euro	☐ 50 Euro
E Im Winter mit Sommerreifen fahren	☐ 30 Euro	☐ 100 Euro
F Alkoholgehalt im Blut (ab 0,5 Promille)	☐ 500 Euro	☐ bis 3000 Euro
Lösung: A2, B2, C2, D1, E1, F1		

TIPP Im Internet finden Sie den aktuellen Bußgeldkatalog unter www.bussgeldkatalog.kfz-auskunft.de

Papiere, Papiere …

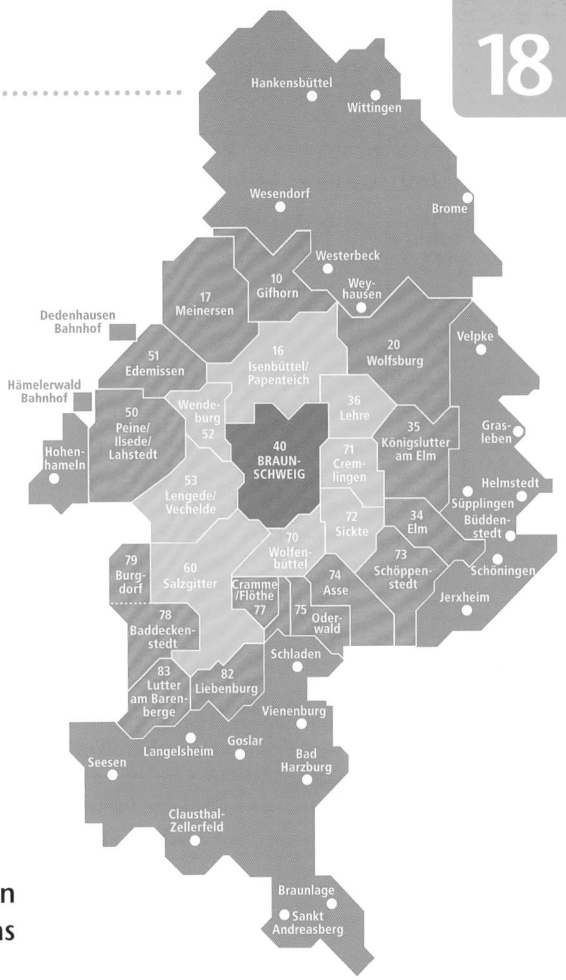

Tarifzonen und Preisstufen

Im Braunschweiger Verkehrsverbund gibt es **Tarifzonen** (z. B. Tarifzone 17, Tarifzone 40 …)

Es gibt vier **Preisstufen**:
Preisstufe 1: Sie fahren in einer Tarifzone.
Preisstufe 2: Sie fahren in zwei Tarifzonen.
Preisstufe 3: Sie fahren in drei Tarifzonen.
Preisstufe 4: Sie fahren im Gesamtnetz.

Welche Preisstufe gilt?

1. Sie fahren von Braunschweig nach Salzgitter.
2. Sie fahren in Braunschweig.
3. Sie fahren von Braunschweig nach Goslar.
4. Sie fahren von Braunschweig nach Wolfsburg.

Wählen Sie zwei Orte im Tarifplan – einen Wohnort und einen Arbeitsort. Bestellen Sie eine Monatskarte. Füllen Sie dazu das Formular aus.

Bestellschein für eine Monatskarte
Bitte kreuzen Sie die richtige Preisstufe an. Tragen Sie die Nummer und den Namen der Tarifzone/n ein.

Preisstufe		Tarifzone		Stadt/Ort	Preis
○ ❶				....	55,00
○ ❷	von			....	65,00
	nach			....	
○ ❸	von			....	88,00
	über			....	
	nach			....	
○ ❹	von			....	120,00
	nach			....	

Projekt
Wie ist es in Ihrer Stadt? Holen Sie den Tarifplan und das Bestellformular für eine Monatskarte. Bestellen Sie eine Fahrkarte.

Mobilität – international

Erzählen Sie: Wie ist das in anderen Ländern?

Bei uns ist die Hupe sehr wichtig.

Kenia war vor langer Zeit englische Kolonie. Deshalb gibt es dort Linksverkehr.

In Bangkok gibt es Wassertaxis.

Ausspracheregeln – Vokale und Konsonanten

Buchstaben Sie lesen/schreiben	Aussprache Sie hören/sprechen	Beispiele
Vokale		
Vokal + Vokal	l a n g	St**aa**t, T**ee**, l**ie**gen
Vokal + h	l a n g	z**eh**n, w**oh**nen, S**ah**ne, f**üh**len
Vokal + 1 Konsonant	l a n g	T**a**g, N**a**me, l**e**sen, Br**o**t
Vokal + mehrere Konsonanten	kurz	Hẹft, Ọrdner, kọsten, bịllig
Konsonanten		
-b /-d /-g /-s /-v	„p" / „t" / „k" / „s" / „f" am Wort-/Silbenende	Ver**b**, un**d**, Ta**g**, Hau**s**, Dati**v** a**b**|fahren, au**s**|steigen,
ch	„(a)ch" nach a, o, u, au „(i)ch" nach e, i, ä, ö, ü, ei, eu nach l, r, n	la**ch**en, do**ch**, Bu**ch**, au**ch** se**ch**zehn, di**ch**, mö**ch**ten, lei**ch**t, eu**ch** wel**ch**e, dur**ch**, man**ch**mal
-ig	„ich" am Wortende	fert**ig**
-chs	ks	se**chs**
h	„h" am Wort-/Silbenanfang ⚠ kein „h" nach Vokal	**h**aben, wo|**h**er wo**h**nen, U**h**r, Sa**h**ne
r	„r" am Wort-/Silbenanfang	**R**ücken, hö|**r**en
-er er-, vor-, ver- Vokal + r	„a" *-er* am Wortende bei Präfix *er-, vor-, ver-* nach langem Vokal	Fing**er**, Lehr**er** **er**klären, **vor**bereiten, **ver**stehen vie**r**, Uh**r**, wi**r**
s	„s" Wort-/Silbenende „s" ♫ Wort-/Silbenanfang	Hau**s**, Au**s**|bildung **s**ehr, zu|**s**ammen
ss ß	„s" Doppel-s nach langem Vokal	Wa**ss**er Stra**ß**e
sch	„sch"	**sch**ön
st, sp	„scht", „schp" Wort-/Silbenanfang	**St**adt, auf|**st**ehen, **sp**rechen, Aus|**sp**rache
qu	„kw"	be**qu**em
-t(ion)	„ts"	Informa**tion**
z	„ts"	be**z**ahlen, **z**u

Ausspracheregeln – Akzentuierung

Im Wort:

	Wortakzent	Beispiele
1. einfache „deutsche" Wörter	Stammsilbe	hören, Name
2. nicht trennbare Verben	Stammsilbe	entschuldigen, verkaufen
3. trennbare Verben (+ Nomen)	Vorsilbe	aufgeben, nachsprechen, Aufgabe
4. Nachsilbe *-ei*	letzte Silbe	Bäckerei, Polizei, Türkei
5. Buchstabenwörter		BRD
6. Endung *-ion*		Information, Nation
7. Endung *-ieren*	vorletzte Silbe	funktionieren
8. die meisten Fremdwörter	(vor)letzte Silbe	Idee, Student, Dialog, Cousine
9. Komposita	Bestimmungswort	Stadt|zentrum, Wein|glas

In der Wortgruppe:

ein‿Schüler einen‿Computer haben mit‿Internetanschluss in‿seinem‿Zimmer

⚠ Wortgruppen spricht man ohne Pausen.

Im Satz:

Man betont das Wort,

- das die wichtigste Information enthält. — Tom geht heute ins Kino. (nicht morgen)
- das einen Gegensatz ausdrückt. — Das ist nicht meine Mutter, das ist meine Schwester.
- auf das man besonders hinweisen möchte. — Die Frau ist aber interessant!

Akzente und Pausen

Sie sprechen langsam und sehr genau: **mehr** Akzente und Pausen

Jeder‿Schüler | hätte‿gern‿einen‿Computer | mit‿Internetanschluss.

Sie sprechen schnell: **weniger** Akzente und Pausen

Jeder‿Schüler hätte‿gern‿einen‿Computer mit‿Internetanschluss.

Unregelmäßige Verben

abbiegen, biegt ab, bog ab, ist abgebogen 18/1
anbieten, bietet an, bot an, angeboten 15
annehmen, nimmt an, nahm an, angenommen 14/3
anziehen, zieht an, zog an, angezogen 13/10
aufhaben, hat auf, hatte auf, aufgehabt 18/2
aufnehmen, nimmt auf, nahm auf, aufgenommen 16/9
aufwachsen, wächst auf, wuchs auf, ist aufgewachsen 15
behalten, behält, behielt, behalten 15
besprechen, bespricht, besprach, besprochen 15
bestehen, besteht, bestand, bestanden 14/9
betreiben, betreibt, betrieb, betrieben 18/9
betreten, betritt, betrat, betreten 18/9
bringen, bringt, brachte, gebracht 14
durchfahren, fährt durch, fuhr durch, ist durchgefahren 18/9
einfallen, fällt ein, fiel ein, ist eingefallen 13/1
eintrocknen, trocknet ein, trocknete ein, ist eingetrocknet 17/9
erraten, errät, erriet, erraten 18
frei haben, hat frei, hatte frei, freigehabt 15/4
gewinnen, gewinnt, gewann, gewonnen 17/7
hängen, hängt, hing, gehangen 17/4
herkommen, kommt her, kam her, ist hergekommen 15/1
hierlassen, lässt hier, ließ hier, hiergelassen 13/10
hineinfallen, fällt hinein, fiel hinein, ist hineingefallen 17/9
lassen, lässt, ließ, gelassen 18/8
reduzieren, reduziert, reduzierte, ist/hat reduziert 13/9
riechen, riecht, roch, gerochen 15
scheitern, scheitert, scheiterte, ist gescheitert 16/9
sinken, sinkt, sank, ist gesunken 14/9
spinnen, spinnt, spann, gesponnen 15/4
springen, springt, sprang, ist gesprungen 17/4
stehen, steht, stand, ist gestanden 13
streichen, streicht, strich, gestrichen 17/9
übernehmen, übernimmt, übernahm, übernommen 16/4
vergessen, vergisst, vergaß, vergessen 15/8
verhalten (sich), verhält, verhielt, verhalten 18/9
verlassen, verlässt, verließ, verlassen 15
verweisen, verweist, verwies, verwiesen 16/7
vorbei sein, ist vorbei, war vorbei, ist vorbei gewesen 15/5
vorbeifahren, fährt vorbei, fuhr vorbei, ist vorbeigefahren 18/9
vorbeilassen, lässt vorbei, ließ vorbei, vorbeigelassen 18/9
vorschlagen, schlägt vor, schlug vor, vorgeschlagen 15/4
wegbleiben, bleibt weg, blieb weg, ist weggeblieben 14/8
wegfahren, fährt weg, fuhr weg, ist weggefahren 15/7
weggehen, geht weg, ging weg, ist weggegangen 14/7
wegmüssen, muss weg, musste weg, weggemusst/wegmüssen 14/3
werfen, wirft, warf, geworfen 14
zurückbekommen, bekommt zurück, bekam zurück, zurückbekommen 15/7

Verben mit Präpositionen

Mit Akkusativ

achten	auf	Ich achte sehr auf gute Kleidung.
bestehen	auf	Bei Eltern besteht ein Anspruch auf Kindergeld.
einstellen	auf	Ich stelle mich auf gutes Wetter ein.
erinnern	an	Erinnerst du dich gut an deine Kindheit?
hineinfallen	in	Der Schmutz fällt genau in die Tüte hinein.
hoffen	auf	Er hofft auf eine gute Note.
liefern	an	Der Lkw liefert Waren an die Supermärkte.
vorbereiten	auf	Birgit hat sich gut auf die Arbeit vorbereitet.

Mit Dativ

auffordern	zu	Er fordert sie zum Tanzen auf.
bedanken	bei	Olga bedankt sich bei Frau Wohlfahrt.
beschweren	bei	Frau Müller beschwert sich bei der Nachbarin.
bestehen	aus	Die meisten Haushalte heute bestehen aus einer Person.
experimentieren	mit	Der Maler experimentiert mit Farben.
mitarbeiten	bei	Ich arbeite bei einem Projekt mit.
orientieren	an	Der Kindergarten orientiert sich an den Wünschen von den Eltern.
riechen	nach	Es riecht nach Olivenöl.
scheitern	an	Er scheitert an der schwierigsten Aufgabe.
schützen	vor	Handschuhe schützen vor der Kälte im Winter.
vorbeifahren	an	Das Auto fährt an der Schule vorbei.
zusammenwohnen	mit	Sie wohnt mit ihrem Freund zusammen.

Alphabetische Wortliste

Diese Informationen finden Sie im Wörterverzeichnis:

In der Liste finden Sie die Wörter aus den Kapiteln 13–18 von *Berliner Platz 2 NEU*.

Wo Sie das Wort finden: Kapitel, Nummer der Aufgabe, Seite:
Abitur, das, -e 16/1, 42

Den Wortakzent: kurzer Vokal • oder langer Vokal –.
Brief, der, -e 14/4, 19
bunt 13/8, 11

Bei unregelmäßigen Verben finden Sie den Infinitiv, die 3. Person Singular Präsens, das Präteritum und das Partizip Perfekt:
bestehen, besteht, bestand, bestanden 14/9, 22

Bei Verben, die das Perfekt mit *sein* bilden: Infinitiv, 3. Person Singular Präsens, das Präteritum und Perfekt
abbiegen, biegt ab, bog ab, ist abgebogen 18/1, 62

Bei Nomen: das Wort, den Artikel, die Pluralform.
Abschluss, der, "-e 16/1, 42

Bei Adjektiven: das Wort und die unregelmäßigen Steigerungsformen.
nah(e), näher, am nächsten 17/7, 57

Bei verschiedenen Bedeutungen eines Wortes: das Wort und Beispiele.
wenig (1) (*Lukas hat wenig Zeit.*) 14/10, 23
wenig- (2) (*Nur wenige Familien haben viele Kinder.*) 14/9, 22

Fett gedruckte Wörter gehören zum *Start Deutsch-*, Deutsch-Test für Zuwanderer- bzw. Zertifikats-Wortschatz. Diese Wörter müssen Sie auf jeden Fall lernen.

Eine Liste mit unregelmäßigen Verben von *Berliner Platz 2 NEU* finden Sie auf Seite 138.
Eine Liste der Verben mit Präpositionen finden Sie auf Seite 138.

Abkürzungen und Symbole

"	Umlaut im Plural (bei Nomen)
,	keine Steigerung (bei Adjektiven)
(*Sg.*)	nur Singular (bei Nomen)
(*Pl.*)	nur Plural (bei Nomen)
(+ *A.*)	Präposition mit Akkusativ
(+ *D.*)	Präposition mit Dativ
(+ *A.*/*D.*)	Präposition mit Akkusativ oder Dativ

abbiegen, biegt ab, bog ab, ist abgebogen 18/1, 62
Abendgymnasium, das, -gymnasien 16/4, 45
Abendkurs, der, -e 16/4, 45
Abendschule, die, -n 16/1, 42
abhängig (von + *D.*) 16/9, 48
Abitur, das, -e 16/1, 42
abkratzen 17/8, 58
abmachen 17/8, 58
Abschluss, der, "-e 16/1, 42
Abschnitt, der, -e 17/8, 58
Accessoire, das, -s 13/3, 8
achten (auf + *A.*) 15/6, 31
Achtung, die (*Sg.*) 15/9, 32
Adjektiv, das, -e 13, 15
akzeptieren 15, 26
alleinerziehend *,* 14/9, 22
Alter, das (*Sg.*) 16, 42
Altersgruppe, die, -n 16/9, 48
Altersstufe, die, -n 16/9, 48
altmodisch 17/5, 56
Alufolie, die, -n 17/9, 59
anbieten, bietet an, bot an, angeboten 15, 26
ändern 13/6, 10
Angst, die, "-e 15/2, 28
annehmen, nimmt an, nahm an, angenommen 14/3, 18
Anprobe, die, -n 13/6, 10
anprobieren 13/4, 8
Anspruch, der, "-e 16/9, 48
Anteil, der, -e 14/9, 22
anziehen, zieht an, zog an, angezogen 13/10, 13
Anzug, der, "-e 13, 6
Ärger, der (*Sg.*) 15/4, 29
ärgerlich 13/7, 11
Armbanduhr, die, -en 14/4, 19
Arztbesuch, der, -e 18/2, 64
aufbewahren 17/9, 59
auffordern (zu + *D.*) 15/7, 31
auffüllen 18/6, 66
aufgehoben *,* 16/9, 48
aufhaben, hat auf, hatte auf, aufgehabt 18/2, 64
Aufkleber, der, - 15/9, 33
Aufnahmeprüfung, die, -en 16/2, 44
aufnehmen, nimmt auf, nahm auf, aufgenommen 16/9, 48
aufwachsen, wächst auf, wuchs auf, ist aufgewachsen 15, 26
ausbilden 16/4, 45
Ausland, das (*Sg.*) 15, 26
Ausländer, der, - 15/2, 28
Ausländerin, die, -nen 15/2, 28
äußern 16/1, 42
aussuchen 16/6, 46
Autofahren, das (*Sg.*) 18/2, 64
Autoindustrie, die (*Sg.*) 15, 27
Autowerkstatt, die, "-en 18/6, 66
Badeanzug, der, "-e 13/8, 11
Bahnsteig, der, -e 18/1, 62
Batterie, die, -n 18/6, 66
bauen 16/8, 47
Bauernhof, der, "-e 16/4, 45
Baustelle, die, -n 18/10, 69
bedanken (sich) (bei + *D.*) 14/3, 18
Bedingung, die, -en 15, 26
Bedürfnis, das, -se 16/9, 48
befestigen 17/9, 59
begeistert 13/7, 11
begründen 15, 26
behalten, behält, behielt, behalten 15, 27
behindern 16/9, 48
Beitrag (1), der, "-e (*Er schreibt einen Beitrag ins Forum.*) 15/8, 32
Beitrag (2), der, "-e (*Die Kommune berechnet Beiträge für den Kindergarten.*) 16/9, 49
belegen 16/8, 47
bemalen 14, 17
Benzin, das (*Sg.*) 18/1, 62
Benzinkosten, die (*Pl.*) 18/2, 64
beobachten 18/9, 68
berechnen 16/9, 49
bereits 16/9, 48
Berufskolleg, das, -s 16, 47
Berufsschule, die, -n 16/1, 42
berufstätig *,* 16/9, 48
Berufsziel, das, -e 16, 42
Beschreibung, die, -en 17/5, 56

beschweren (sich) (bei + *D.*) 15, 27
besprechen, bespricht, besprach, besprochen 15, 26
Besteck, das, -e 17/2, 53
bestehen (1), besteht, bestand, bestanden (aus + *D.*) (*Die meisten Haushalte heute bestehen aus einer Person.*) 14/9, 22
bestehen (2), besteht, bestand, bestanden (*Michael hat den Test bestanden.*) 16/1, 42
bestehen (3), besteht, bestand, bestanden (auf + *A.*) (*Bei Eltern besteht ein Anspruch auf Kindergeld.*) 16/9, 49
bestimmen 16/9, 49
Besuch, der, -e (*zu Besuch*) 15, 26
Besucher, der, - 15/5, 30
Betreff, der, -e 17/3, 54
betreiben, betreibt, betrieb, betrieben 18/9, 68
betreten, betritt, betrat, betreten 18/9, 68
Betreuung, die (*Sg.*) 16/9, 48
Betriebswirtschaft, die, -en 16/4, 45
Bevölkerung, die, -en 14/9, 22
bevorzugt 16/9, 48
Bewerbungsgespräch, das, -e 15/2, 28
Beziehung, die, -en 14/10, 23
BH, der, -s 13, 7
Bikini, der, -s 13/8, 11
bis (*Ich warte, bis du kommst.*) 15, 26
blockieren 18/10, 69
Blume, die, -n 14, 17
Bluse, die, -n 13, 6
Boden, der, "- 17/3, 54
bohren 17/9, 59
Bohrstelle, die, -n 17/9, 59
Braut, die, "-e 14/1, 17
Brautkleid, das, -er 14, 17
breit 16/9, 48
Breite, die, -n 13/9, 12
Bremse, die, -n 18/6, 66
bremsen 18/1, 62
Brief, der, -e 14/4, 19
bringen, bringt, brachte, gebracht 14, 17
Bücherregal, das, -e 17/2, 53
Buchstabe, der, -n 17/6, 57
Bundesland, das, "-er 14/9, 22
Bundeswehr, die (*Sg.*) 16/4, 45
bunt 13/8, 11
Büroartikel, der, - 13/3, 8
Chance, die, -n 16/9, 48
Chancengleichheit, die (*Sg.*) 16/9, 48
Chat, der, -s 15/8, 32
Computerkenntnis, die, -se 16/8, 47
Computerspiel, das, -e 14/4, 19
Cousin, der, -s 14/5, 20
Cousine, die, -n 14/5, 20
dabei (*Ich muss immer Suppe essen. Dabei mag ich Salat lieber.*) 13/10, 13
dagegen 16/9, 48
damals 15/9, 33
Damenmode, die, -n 13/3, 8
dann (*Wenn du etwas nicht verstanden hast, dann musst du nachfragen.*) 15, 26
daran 18/2, 64
darauf 18/9, 68
darum 15/1, 27
davor (1) (*Ich habe ein Bett. Davor steht ein Tisch.*) 17/3, 54
davor (2) (*Ich ziehe bald um. Davor muss ich die Wohnung putzen.*) 17/8, 58
dazugehören 14/9, 22
Demonstrativpronomen, das, - 13, 15
Designer-Anzug, der, "-e 13/8, 11
desto (*je früher, desto besser*) 16/9, 48
Deutschlernen, das (*Sg.*) 15/9, 33
dieselbe 16/3, 44
doch (*Komm doch mal vorbei!*) 13/6, 10
Doppelbett, das, -en 13/9, 12
Dreck, der (*Sg.*) 17/9, 59
dulden 15/9, 33
Duldung, die (*Sg.*) 15/9, 33
dunkel, dunkler, am dunkelsten 17/5, 56
dunkelblau *,* 15/9, 33
durchfahren, fährt durch, fuhr durch, ist durchgefahren 18/9, 68
Durchschnitt, der (*Sg.*) 14/9, 22
Ehe, die, -n 14/9, 22
ehelich *,* 14/9, 22
eher 13/4, 9
Eimer, der, - 17/8, 58
einfallen, fällt ein, fiel ein, ist eingefallen 13/1, 7
Einkaufstyp, der, -en 13/8, 11
Einkommen, das, - 16/9, 48
einrichten 17/3, 54
Einrichtung (1), die, -en (*Kindergärten und Schulen sind Einrichtungen.*) 16/9, 48
Einrichtung (2), die, -en (*Welche Einrichtung hat deine Wohnung?*) 17/2, 53
einschalten 17/9, 59
einsilbig *,* 13, 15
einstellen (sich) (auf + *A.*) (*Er stellt sich auf Regen ein.*) 18/9, 68
eintrocknen, trocknet ein, trocknete ein, ist eingetrocknet 17/9, 59
Einwanderer, der, - 15, 26
Einwanderin, die, -nen 15, 26
einzeln 13/4, 8
Eisglätte, die (*Sg.*) 18/9, 68
elegant 13/10, 13
Elektronik, die (*Sg.*) 13/8, 11
Elterninitiative, die, -n 16/9, 48
enden 16/1, 42
eng 13/5, 9
Engagement, das, -s 16/9, 48
Englischkenntnisse, die (*Pl.*) 16/7, 47
entfernt 18/2, 64
Entfernung, die, -en 16/10, 49
enttäuscht 15/2, 28
erarbeiten 16/9, 48
Erdgeschoss, das, "-e 13/3, 8
Ergänzung, die, -en 14, 25
erinnern (sich) (an + *A.*) 15/8, 32
Erinnerung, die, -en 14/1, 16
Erklärung, die, -en 14/10, 23
Ernst, der (*Sg.*) 13/6, 10
erraten, errät, erriet, erraten 18, 67
erschweren 18/9, 68
erwünscht *,* 15/9, 33
Espressomaschine, die, -n 14/4, 19
Esstisch, der, -e 17/2, 53
etwas 13/5, 9
Examen, das, - 16/4, 45
experimentieren (mit + *D.*) 13/7, 11
Fabrikverkauf, der, "-e 13, 11
Fachhochschulreife, die, -n 16/1, 42
Fahrbahn, die, -en 18/9, 68
Fahrradanhänger, der, - 18/1, 62
Fahrradfahren, das (*Sg.*) 18/1, 62
Fahrradfahrer, der, - 18/9, 68
Fahrradfahrerin, die, -nen 18/9, 68
Fahrzeug, das, -e 18/9, 68
Familienbetrieb, der, -e 16/4, 45
Familienfest, das, -e 14/5, 20
Feier, die, -n 14/1, 17
Ferien, die (*Pl.*) 14/8, 21
Fernsehen, das (*Sg.*) (*Im Fernsehen läuft heute „Tatort".*) 13/3, 8
festlich 13/4, 9
Feuerwerk, das, -e 14, 17
Figur, die, -en 15/1, 27
Fleck, der, -e 13/10, 13
flexibel, flexibler, am flexibelsten 16/9, 48
Flitterwochen, die (*Pl.*) 14, 17
Flüchtlingsamt, das, "-er 15/9, 33
fordern 16/9, 48
fördern 16/9, 48
Förderprogramm, das, -e 16/10, 49
Form, die, -en (*Die Form ist rund.*) 17/5, 56
fortbilden 16/1, 42
fragend 13/7, 11
freihaben, hat frei, hatte frei, freigehabt 15/4, 29
Fremdsprache, die, -n 15/8, 32
froh 15/3, 28
Frohe Ostern 14, 17
Frohe Weihnachten 14, 17
Frohes neues Jahr 14, 17
Frostschutzmittel, das, - 18/6, 66
Führerscheinprüfung, die, -en 18/9, 68
Fußgänger, der, - 18/9, 68
Fußgängerin, die, -nen 18/9, 68
Gabel, die, -n 17/2, 53
Ganztagsschule, die, -n 16, 47
gar 13/5, 9
Gastarbeiter, der, - 15, 27
Gastarbeiterin, die, -nen 15, 27
Gebrauchtwagen, der, - 18, 67
Geburt, die, -en 14/9, 22
gefährlich 18/1, 62
Gefühl, das, -e 15, 26
Gegenteil, das, -e 15/9, 33
Gehweg, der, -e 18/9, 68
Gemeinde, die, -n 16/9, 48
gemütlich 17/5, 56
Generation, die, -en 16/4, 45
Gerät, das, -e 17/2, 53
Gesamtschule, die, -n 16/1, 42
Geschäftsführung, die, -en 16/4, 45
Geschenkgutschein, der, -e 14/4, 19
Geschenkliste, die, -n 14/3, 18
Geschirr, das, -e 17/2, 53
Geschirrspülmittel, das, - 17/8, 58
Geschmack, der, "-er 17/5, 56
gespannt 15/8, 32
Gestik, die, -en 13/7, 11
gewinnen, gewinnt, gewann, gewonnen 17/7, 57
gewöhnen 15, 26
glücklich 15/9, 32
Glücksbringer, der, - 14, 17
Goldarmband, das, "-er 14/4, 19

Grafik, die, -en 14, 16
Grillparty, die, -s 15/5, 30
Größe, die, -n 13/4, 8
Großfamilie, die, -n 14/9, 22
Grund, der, "-e 15/7, 31
gründen 16/8, 47
gründlich 18/6, 66
Gruppengröße, die, -n 16/9, 48
Gürtel, der, - 13, 6
Guten Rutsch 14, 24
Gutschein, der, -e 14/4, 19
Gymnasium, das, Gymnasien 16/1, 42
Halbtagskindergarten, der, "- 16/9, 48
Halbtagskindergartenplatz, der, "-e 16/9, 48
Hälfte, die, -n 13/6, 10
Halskette, die, -n 13, 7
Handschuh, der, -e 13, 7
hängen (1), hängt, hing, ist/hat gehangen (*Das Bild hat an der Wand gehangen.*) 17/4, 55
hängen (2) (*Peter hat das Bild an die Wand gehängt.*) 17/4, 55
hässlich 17/5, 56
häufig 18/9, 68
Hauptsache, die, -n 18/2, 64
Hauptsatz, der, "-e 15/3, 28
Hauptschulabschluss, der, "-e 16/1, 42
Hauptschule, die, -n 16/1, 42
Haushalt, der, -e 14/9, 22
Heiligabend, der, -e 14, 17
Heimat, die, -en 15, 26
Heimatland, das, "-er 18/1, 63
Heimwerker, der, - 17, 52
Heimwerker-Problem, das, -e 17/9, 59
Helm, der, -e 18/1, 62
Hemd, das, -en 13, 6
herkommen, kommt her, kam her, ist hergekommen 15/1, 27
Herrenmantel, der, "- 13/3, 8
Herrenmode, die, -n 13/3, 8
herrschen 18/9, 68
Herzliches Beileid 14, 24
hierlassen, lässt hier, ließ hier, hiergelassen 13/10, 13
hineinfallen, fällt hinein, fiel hinein, ist hineingefallen (in + *A.*) 17/9, 59
hoffen (auf + *A.*) 15, 26
Höflichkeit, die, -en 15/5, 30
Hose, die, -n 13, 6
Hotelkaufmann, der, "-er 16/7, 47
Hotelkauffrau, die, -en 16/7, 47
Hund, der, -e 14/6, 20
Ich-Form, die, -en 15/5, 30
Immobilienbüro, das, -s 17/7, 57
individuell 16/9, 48
Informatikkurs, der, -e 16/8, 47
Informationstext, der, -e 16, 42
Infotext, der, -e 16/1, 43
Initiative, die, -n 16/9, 48
innen 15/9, 33
Inspektion, die, -en 18/7, 67
Integration, die (*Sg.*) 15, 26
Internet-Tipp, der, -s 17/9, 59
je (*je früher, desto besser*) 16/9, 48
Jeans, die, - 13, 6
Jeansrock, der, "-e 13/6, 10
jobben 16/4, 45
Jogginghose, die, -n 13, 6
Journalist, der, -en 14/10, 23
Journalistin, die, -nen 14/10, 23
Junge, der, -n 16/2, 44
Kaffeefiltertüte, die, -n 17/9, 59
Kasus, der, - 17/4, 55
Kinderbetreuung, die, -en 16/10, 49
Kindergartenjahr, das, -e 16/9, 48
Kindergartenplatz, der, "-e 16/9, 48
Kindergröße, die, -n 13/4, 9
Kindermode, die, -n 13/3, 8
Kindersitz, der, -e 18/5, 66
Kindergartenbeitrag, der, "-e 16/9, 48
kirchlich *,* 14/3, 18
klasse *,* 13/6, 10
kleben 17/9, 59
Kleid, das, -er 13, 6
Kleider, die (*Pl.*) 13/8, 11
Kleidung, die, -en 13, 6
Kleidungsstück, das, -e 13/2, 7
Kleinkind, das, -er 16/9, 48
Kleinstfamilie, die, -n 14/9, 22
Knopf, der, "-e 13/10, 13
Kochtopf, der, "-e 14/4, 19
kommunal *,* 16/9, 49
Kommune, die, -n 16/9, 49
Komparativ, der, -e 13/8, 11
Komparativ-Form, die, -en 13/8, 11
komplett 13/9, 12
Kompositum, das, Komposita 18, 71
Konflikt, der, -e 15, 26
Konfliktsituation, die, -en 15/4, 29
Konjunktiv, der, -e 17/7, 57
Konsequenz, die, -en 18/4, 65
Konzept, das, -e 16/9, 48
Kosmetik, die, Kosmetika 13/3, 8
Kosten, die (*Pl.*) 16/9, 48
kostenlos *,* 16/1, 42
Kostüm, das, -e 13, 6
Kraftfahrzeug, das, -e 18/9, 68
Krankenschwester, die, -n 14/10, 23
Krawatte, die, -n 13, 6
Kreuz, das, -e 17/9, 59
Krieg, der, -e 15, 26
Küchenregal, das, -e 17/2, 53
Landsleute, die (*Pl.*) 15/1, 27
lassen, lässt, ließ, gelassen 18/8, 67
lästig 17/9, 59
Lastwagen, der, - 18/9, 68
Leben, das, - 15, 27
Lebensform, die, -en 14/9, 22
Lebensjahr, das, -e 16/1, 42
Lederjacke, die, -n 13/9, 12
Lehre, die, -n 16, 42
Lehrstelle, die, -n 16/4, 45
leicht 15, 26
Lernerfahrung, die, -en 16/9, 48
leuchten 14, 17
Leute, die (*Pl.*) 14/3, 18
Licht, das, -er 14, 17
Lichtstrahl, der, -en 17/9, 59
Liebe, die (*Sg.*) 15, 26
Lieblingsmöbelstück, das, -e 17/5, 56
Lieblingswort, das, "-er 15/10, 33
Lied, das, -er 14/1, 17
liefern (an + *A.*) 18/9, 68
Lkw-Führerschein, der, -e 16/7, 47
Loch, das, "-er 17/9, 59
locker 15, 26
Löffel, der, - 17/2, 53
Lotto, das, -s 17/7, 57
Mädchen, das, - 16/2, 44
mähen 14/4, 19
Mama, die, -s 14/4, 19
Mantel, der, "- 13, 6
Markenkleidung, die, -en 13/10, 13
Maus, die, "-e 17/4, 55
Mechatroniker, der, - 16/4, 45
Mechatronikerin, die, -nen 16/4, 45
Medizin, die (*Sg.*) (*Ein Arzt hat Medizin studiert.*) 16/4, 45
Mehrfachlösung, die, -en 18/9, 68
meinen 14/1, 16
Meinung, die, -en 16/1, 42
Meisterschule, die, -n 16/4, 45
merken 15/9, 33
Messer, das, - 17/2, 53
Migrant, der, -en 15/3, 28
Migrantin, die, -nen 15/3, 28
Mikrowelle, die, -n 17/2, 53
Militärdienst, der, -e 16/6, 46
Mimik, die, -en 13/7, 11
Mist, der (*Sg.*) 13/10, 13
mit wem 14/2, 17
Mitarbeit, die (*Sg.*) 16/9, 48
mitarbeiten (bei + *D.*) 15/4, 29
miteinander 15, 26
mitlernen 15/9, 33
Mitteilung, die, -en 14/3, 18
Mittelschule, die, -n 16/1, 42
mitten 17/7, 57
Mitternacht, die, "-e 14/3, 18
mittlere Reife, die, -n 16/1, 42
Möbelstück, das, -e 17, 59
Möbelwagen, der, "- 15/7, 31
Mobilität, die (*Sg.*) 18/2, 64
Moment mal 15/4, 29
Moschee, die, -n 14/8, 21
Motor, der, -en 18/6, 66
Motorrad, das, "-er 18/1, 62
Muttertag, der, -e 14/2, 17
Mütze, die, -n 13, 7
nachfüllen 18/6, 66
nachholen 16/1, 42
Nachteil, der, -e 18, 62
Nachtschicht, die, -en 16/8, 47
nachzählen 15/7, 31
nah(e), näher, am nächsten 17/7, 57
Naht, die, "-e 13/10, 13
nämlich 15/9, 32
Nebensatz, der, "-e 15/3, 28
Neujahrsparty, die, -s 14, 17
nichtehelich *,* 14/9, 22
nie mehr 15/8, 32
niemand 13/10, 13
Note, die, -n 16/3, 44
offen 15/1, 27
öffentlich (*öffentliche Verkehrsmittel*) 18/2, 64
öffnen 15/5, 30
Ohrring, der, -e 13, 6
Ölwechsel, der, - 18/6, 66
ordentlich 17/5, 56
Organisation, die, -en 15/4, 29
orientieren (sich) (an + *D.*) 16/9, 48
Orientierung, die, (*Sg.*) 13/3, 8

ostdeutsch *,* 14/9, 22
Osten, der (*Sg.*) 14/9, 22
Osterei, das, -er 14, 17
Ostermontag, der, -e 14, 17
Ostern, das, - 14/4, 19
Osternest, das, -er 14, 17
Ostersonntag, der, -e 14, 17
pädagogisch *,* 16/9, 48
Parfüm, das, -e/s 13/3, 8
Parfümerie, die, -n 14/4, 19
Parkhaus, das, "-er 18/1, 62
Parkplatzproblem, das, -e 18/5, 66
Parkscheibe, die, -n 18/10, 69
Parkschein, der, -e 18/1, 62
Parterre, das, -s 13, 14
Passiv, das, -e 18/7, 67
Patchwork-Familie, die, -n 14/10, 23
Personenzahl, die, -en 14/9, 22
Pinsel, der, - 17/9, 59
Pkw, der, -s 18/10, 69
Plan, der, "-e 16/1, 42
Platte, der, -n 18/1, 62
Poster, das, - 17/4, 55
Präfix, das, -e 16, 51
Praktikant, der, -en 15/8, 32
Praktikantin, die, -nen 15/8, 32
Praline, die, -n 14/4, 19
Preisunterschied, der, -e 16/9, 49
Privatschule, die, -n 16/1, 42
probieren 13/6, 10
Prost Neujahr 14, 17
Prozent, das, -e 13/10, 13
prüfen 18/6, 66
Prüfung, die, -en 16/6, 46
Pullover, der, - 13, 6
Quelle, die, -n 14/9, 22
Radtour, die, -en 18/2, 64
Radweg, der, -e 18/1, 62
Rasen, der, - 14/4, 19
Rat, der (*Sg.*) 15, 26
Ratschlag, der, "-e 15, 26
Raum, der, "-e 17/5, 56
Realschulabschluss, der, "-e 16/1, 42
Realschule, die, -n 16/1, 42
Rechnung, die, -en 18/7, 67
Recht, das, -e 16/9, 48
recht haben 18/3, 65
Rechtsanspruch, der, "-e 16/9, 48
reduzieren, reduziert, reduzierte, ist/hat reduziert 13/9, 12
Regal, das, -e 17/3, 54
regional *,* 16/9, 49
Reifen, der, - 18/6, 66
Reißverschluss, der, "-e 13/10, 13
Rentner, der, - 14/10, 23
Rentnerin, die, -nen 14/10, 23
Rest, der, -e 17, 59
retten 18/2, 64
riechen, riecht, roch, gerochen (nach + *D.*) 15, 27
Ring, der, -e 14/4, 19
Rock, der, "-e 13, 6
Rose, die, -n 14/4, 19
Satzakzent, der, -e 13/7, 11
saugen (*Das Auto wird gesaugt.*) 18/7, 67
schaffen (*Inga hat den Test geschafft.*) 16/4, 45
Schal, der, -s 13, 6
Scheibe, die, -n (*die Scheibe am Auto*) 18/7, 67
Scheibenwischer, der, - 18/7, 67
Scheidung, die, -en 14/9, 22
scheitern, scheitert, scheiterte, ist gescheitert (an + *D.*) 16/9, 48
schenken 14, 17
Schild, das, -er 13/10, 13
Schlosser, der, - 16/4, 45
Schlosserin, die, -nen 16/4, 45
Schmuck, der (*Sg.*) 13/3, 8
schmücken 14, 17
Schmutz, der (*Sg.*) 17/9, 59
Schnäppchenführer, der, - 13, 11
Schokolade, die, -n 14/1, 17
Schokoladenhase, der, -n 14, 17
Schornsteinfeger, der, - 14, 17
schrecklich 13/6, 10
Schritt, der, -e 17/3, 54
Schuh, der, -e 13, 6
Schulabschluss, der, "-e 16, 42
Schulanmeldung, die, -en 15/9, 33
Schulart, die, -en 16/1, 43
Schulfach, das, "-er 16/3, 44
Schuljahr, das, -e 16/3, 44
Schulkind, das, -er 16/9, 48
Schulpflicht, die (*Sg.*) 16/1, 42
Schuluniform, die, -en 16/3, 44
Schulzeit, die, -en 16/3, 44
schützen (vor + *D.*) 17/9, 59
Schutzhelm, der, -e 13, 6
Schwabe, der, -n 15, 27
Schwein, das, -e 14, 17
secondhand *,* 13/9, 12
Secondhand-Laden, der, "- 13/10, 13
seitdem 16/9, 48
Sekt, der, -e 14, 17
Seminar, das, -e 16/4, 45
Sessel, der, - 17/2, 53
setzen (sich) 17/4, 55
Sicht, die (*Sg.*) 18/9, 68
Silbe, die, -n 15/9, 33
Silvester, das, - 14, 17
Single, der, -s 14/9, 22
Single-Haushalt, der, -e 14/9, 22
sinken, sinkt, sank, ist gesunken 14/9, 22
Slip, der, -s 13, 6
Socke, die, -n 13, 6
Sofa, das, -s 17/2, 53
Software, die, -s 13/3, 8
Software-Firma, die, -Firmen 15, 26
Sommerhose, die, -n 13/6, 10
Sommerschlussverkauf, der, "-e 13, 11
Sonnenbrille, die, -n 14/4, 19
Sorge, die, -n 15/2, 28
sozial 16/9, 48
Spiegel, der, - 13/4, 8
Spielzeug, das, -e 13/3, 8
spinnen, spinnt, spann, gesponnen (*Du spinnst!*) 15/4, 29
Sportschuh, der, -e 13, 6
Sprachenlernen, das (*Sg.*) 16/9, 48
Sprachrohr, das, -e 15/9, 33
Sprechpause, die, -n 16/5, 46
springen, springt, sprang, ist gesprungen 17/4, 55
Staat, der, -en 16/1, 42
staatlich *,* 16/1, 42
städtisch *,* 16/10, 49
Stand, der, "-e 14/9, 22
Standesamt, das, "-er 14, 17
Stau, der, -s 18/2, 64
stehen, steht, stand, gestanden (*Das Kleid steht dir gut.*) 13, 6
Stehlampe, die, -n 17/2, 53
Stempel, der, - 15/9, 33
Stiefel, der, - 13, 6
Stimme, die, -n 13/7, 11
stolz 15/2, 28
Strafzettel, der, - 18/1, 62
Straßenseite, die, -n 18/9, 68
streichen, streicht, strich, gestrichen 17/9, 59
streuen 14, 17
Strumpf, der, "-e 13/2, 7
Strumpfhose, die, -n 13, 6
Stück, das, -e 13/10, 13
Studium, das, Studien 16/6, 46
Subjekt, das, -e 14, 25
supergut *,* 13/6, 10
Superlativ, der, -e 13/8, 11
Süßigkeit, die, -en 14, 17
Swimmingpool, der, -s 17/7, 57
Symbol, das, -e 15/2, 28
Tafel, die, -n (*eine Tafel Schokolade*) 15/9, 33
tanken 18/1, 62
Tapete, die, -n 17/8, 58
tapezieren 17/3, 54
Taschenlampe, die, -n 17/9, 59
Tasse, die, -n 17/2, 53
teilen 15/9, 33
Teller, der, - 17/2, 53
Tempo, das, -s 16/5, 46
Teppich, der, -e 17/2, 53
Teppichboden, der, "- 17/9, 59
Tesafilm, der, -e 17/9, 59
Theorie, die, -n 18/9, 68
Tischmitte, die, -n 17/9, 59
Toaster, der, - 17/2, 53
todmüde *,* 17/9, 59
Traktor, der, -en 18/9, 68
Traumwohnung, die, -en 17/7, 57
traurig 15/3, 28
Trauung, die, -en 14, 17
T-Shirt, das, -s 13, 6
TÜV, der, -s (*technischer Überwachungsverein*) 18, 67
typisch 15/9, 33
überall 13/10, 13
überhaupt 13/5, 9
überholen 18/10, 69
übernachten 14/3, 18
Übernachtungsmöglichkeit, die, -en 14/3, 18
übernehmen, übernimmt, übernahm, übernommen 16/4, 45
überprüfen 18/6, 66
Überraschung, die, -en 14, 17
Überschrift, die, -en 16/9, 49
Umfrage, die, -n 15/10, 33
Umkleidekabine, die, -n 13/4, 8
Umlaut, der, -e 13, 15
Umleitung, die, -en 18/10, 69
Umschlag, der, "-e 15/9, 33
Umweltplakette, die, -n 18/10, 69
Umweltzone, die, -n 18/10, 69
unabhängig 18/2, 64

unachtsam 18/9, 68
unbekannt 18/9, 68
unehelich *,* 14/9, 22
ungemütlich 17/5, 56
unregelmäßig 13, 15
Untergeschoss, das, -e 13/3, 8
Unterhemd, das, -en 13, 6
Unterhose, die, -n 13, 6
Unterschied, der, -e 16/9, 48
unterschiedlich 16/9, 48
unverheiratet *,* 14/9, 22
Urgroßmutter, die, "- 14/7, 21
Valentinstag, der, -e 14/2, 17
Variation, die, -en 13/7, 11
verändern (sich) 15, 27
verbessern 16/8, 47
vergessen, vergisst, vergaß, vergessen 15/8, 32
verhalten (sich), verhält, verhielt, verhalten 18/9, 68
Verhalten, das (*Sg.*) 18/9, 68
Verkauf, der, "-e 13/10, 13
Verkaufspreis, der, -e 13/10, 13
Verkehrsmittel, das, - 18, 62
Verkehrsregel, die, -n 18, 62
Verkehrszeichen, das, - 18/9, 68
verlassen, verlässt, verließ, verlassen 15, 26
verschieden *,* 16/1, 42
Verständnishilfe, die, -n 15, 26
verweisen, verweist, verwies, verwiesen 16/7, 47
vielfältig 16/9, 48
voll 17/9, 59
volltanken 18/6, 66
voneinander 16/9, 48
vorbei sein, ist vorbei, war vorbei, ist vorbei gewesen (*Der Sommer ist bald vorbei.*) 15/5, 30
vorbeifahren, fährt vorbei, fuhr vorbei, ist vorbeigefahren (an + *D.*) 18/9, 68
vorbeilassen, lässt vorbei, ließ vorbei, vorbeigelassen 18/9, 68
vorbereiten (sich) (auf + *A.*) 15, 26
vordrängen (sich) 15/7, 31
Vorhang, der, "-e 17/2, 53
Vorschlag, der, "-e 13/3, 8
vorschlagen, schlägt vor, schlug vor, vorgeschlagen 15/4, 29
vorsichtig 18/2, 64
Vorurteil, das, -e 15, 27
Waldarbeiter, der, - 16/4, 45
Waldarbeiterin, die, -nen 16/4, 45
Walze, die, -n 17/9, 59
Wand, die, "-e 14/10, 23
Wappen, das, - 15/9, 33
Ware, die, -n 18/9, 68
was für ein/e/er 13/6, 10
Waschbecken, das, - 17/2, 53
wegbleiben, bleibt weg, blieb weg, ist weggeblieben 14/8, 21
wegfahren, fährt weg, fuhr weg, ist weggefahren 15/7, 31
weggehen, geht weg, ging weg, ist weggegangen 14/7, 21
wegmüssen, muss weg, musste weg, weggemusst/wegmüssen 14/3, 18
Weihnachten, das, - 14/4, 19
Weihnachtsbaum, der, "-e 14, 17
weil 15, 26
weiterbilden (sich) 16/4, 45
Weiterbildung, die, -en 16/1, 42
Weiterbildungsmöglichkeit, die, -en 16/1, 42
weiterlernen 16/1, 42
wem 14/4, 19
wen 14/5, 20
wenig (1) (*Lukas hat wenig Zeit.*) 14/10, 23
wenig- (2) (*Nur wenige Familien haben viele Kinder.*) 14/9, 22
wenn 15, 26
werfen, wirft, warf, geworfen 14, 17
Werkstatt, die, "-en 18/6, 66
westdeutsch *,* 14/9, 22
Westen, der (*Sg.*) 14/9, 22
wickeln 17/9, 59
wie lange 14/2, 17
wie oft 14/5, 20
wieso 13/6, 10
Wintercheck, der, -s 18/6, 66
Winterjacke, die, -n 13, 6
Winterkleidung, die, -en 13/9, 12
Wintersport, der (*Sg.*) 18/9, 68
Wohnungseinrichtung, die, -en 17, 52
Wohnzimmertisch, der, -e 17/2, 53
worauf 16/9, 49
worum 16/10, 49
Wunschauto, das, -s 18, 67
würde-Form, die, -en 17/7, 57
Zeitschrift, die, -en 13/3, 8
Zentrale, die, -n 15/4, 29
ziemlich 18/2, 64
zufrieden 15/2, 28
Zukunft, die (*Sg.*) 14, 17
Zukunftspläne, die (*Pl.*) 16/7, 47
Zukunftswörter, die (*Sg.*) 16/7, 47
zurückbekommen, bekommt zurück, bekam zurück, zurückbekommen 15/7, 31
zusammengehören 14/10, 23
zusammenleben 14/9, 22
Zusammensein, das (*Sg.*) 16/9, 48
zusammenwohnen (mit + *D.*) 14/10, 23
zusätzlich *,* 16/4, 45
Zuschuss, der, "-e 16/9, 48
Zustand, der, "-e 13/10, 13
zustimmen 16/3, 44
zwar (*Ich habe zwar einen Führerschein, aber ich fahre nie Auto.*) 18/2, 64

Quellenverzeichnis

Fotos, die im Folgenden nicht aufgeführt sind: Vanessa Daly
Karte auf der vorderen Umschlagsinnenseite: Polyglott-Verlag München

S. 12 links: Albert Ringer
S. 14 oben: Lutz Rohrmann
S. 16 4 Lutz Rohrmann
S. 17 6 Marco Sc – Shutterstock.com; 8 Hedi Bergmann; 9 Jo Chambers – Shutterstock.com; B beide Fotos: Shutterstock.com
S. 18 Sabrina Rottmair
S. 19 1, 3, 6: Lutz Rohrmann; 2, 8, 9: Shutterstock.com; 4 Thommy Weiss – Pixelio; 5 Susan Kaufmann; 7 George Bailey – Shutterstock.com; 11 Marco Diewald
S. 22 picture-alliance / Globus Infografik
S. 26 A Susan Kaufmann; B Annalisa Scarpa-Diewald; C Frank Herzog – Shutterstock.com
S. 27 iStockphoto
S. 28 von links nach rechts: iStockphoto; LKG Archiv; LKG Archiv; Annalisa Scarpa-Diewald; Susan Kaufmann
S. 30 Susan Kaufmann
S. 31 A und D: Sibylle Freitag; B Lutz Rohrmann
S. 32 A Albert Ringer
S. 33 C Andreas Weise, factum Stuttgart fotojournalismus; Collage: Tickets für Schiffe: Theo Scherling; Moschee Lauingen: © Ludwig Reisner, Gundelfingen; restliche Fotos: Albert Ringer
S. 34 Susan Kaufmann
S. 39 Peter Wawerzinek: „Grußbotschaften für Dieter Kerschek" aus: Der neue Zwiebelmarkt. Gedichte. hrsg. v. W. Sellin/M. Walter. Berlin 1988 – mit freundlicher Genehmigung des Autors
S. 40 DVD Berliner Platz 1 NEU
S. 42 A Susan Kaufmann; Schulkind: Christiane Lemcke
S. 43 D Franz Bergmann
S. 44 Fotolia.com
S. 45 oben links: Anke Schüttler; oben rechts: Ulrich Hilsenitz; unten links: Sibylle Freitag; unten rechts: Fotolia.com
S. 47 Shutterstock.com
S. 48 Kinderzeichnungen von Marco Diewald; spielende Kinder: Yvonne Bogdanski – Fotolia.com; Foto Collage: Archiv Bild & Ton
S. 49 Annalisa Scarpa-Diewald
S. 56 B und C: Lutz Rohrmann
S. 57 Bernd Sterzl – pixelio
S. 59 Logos mit freundlicher Genehmigung von Bernhard Finkbeiner
S. 62 Lutz Rohrmann
S. 63 B und D: Lutz Rohrmann; E und G: Susan Kaufmann
S. 66 A Anke Schüttler; B und D: Reinhard Lorenz; C Susan Kaufmann; E und F: Lutz Rohrmann
S. 68 Mit freundlicher Genehmigung des Verlags Heinrich Vogel, München
S. 70 Straßenbahn: Lutz Rohrmann
S. 76 Berliner Platz 1 NEU
S. 77 Lutz Rohrmann
S. 78 A bsilvia – Fotolia.com; B Michael Kempf – Fotolia.com; C Fotofrank – Fotolia.com; D Uwe Bumann – Fotolia.com
S. 83 Annalisa Scarpa-Diewald
S. 84 A Fotolia.com; B Sofia Lainović; C Hallgerd – Fotolia.com
S. 85 Sabrina Rottmair
S. 87 Lutz Rohrmann
S. 90 oben: Susan Kaufmann; unten: iStockphoto
S. 95 Annalisa Scarpa-Diewald
S. 96 Annalisa Scarpa-Diewald
S. 97 Langenscheidt Bildarchiv
S. 99 Annalisa Scarpa-Diewald
S. 100 oben: Albert Ringer; unten: Andres Rodriguez – Fotolia.com
S. 104 D Lutz Rohrmann; H Fotolia.com
S. 106 Leah-Anne Thompson – Fotolia.com
S. 107 Annalisa Scarpa-Diewald
S. 109 Sven Knie – Fotolia.com
S. 111 Lutz Rohrmann
S. 112 von oben nach unten: Kati Molin – Fotolia.com; Surrender – Fotolia.com; Albert Ringer; Franz Pfluegl – Fotolia.com; Irina Fischer – Fotolia.com
S. 116 D Annalisa Scarpa-Diewald; E Pixelio; restliche Fotos: GNU Lizenz
S. 118 James Steidl – Fotolia.com
S. 120 Romina Brenna
S. 124 Annerose Bergmann
S. 126 Regina Sovarzo; Abdruck Stempel: mit freundlicher Genehmigung von Georg Eisenmann
S. 127 Albert Ringer
S. 128 Foto Amt: Fotolia.com; Niederlassungserlaubnis mit freundlicher Genehmigung der Anwaltskanzlei Weh, Frankfurt
S. 129 Shutterstock.com
S. 130 unten: Fotolia.com
S. 134 oben: Susan Kaufmann; unten: Albert Ringer
S. 135 mit freundlicher Genehmigung von Regionalbus Braunschweig GmbH